Recettes
vite prêtes

MARABOUT

Recettes vite prêtes

Sommaire

Pour gagner du temps

Facile et vite fait, tel est bien souvent notre rêve quand nous nous mettons à cuisiner, car nos vies hyperactives ne nous laissent guère le loisir de fignoler des recettes longues et compliquées. Qu'il s'agisse de composer un repas léger ou plus consistant, ce livre rassemble des plats simples, nourrissants et réalisables en un tournemain, ce qui est appréciable aussi quand on a des invités. Passez moins de temps en cuisine tout en introduisant une pointe d'imagination dans les menus de tous les jours : les 190 recettes que compte cet ouvrage sont autant d'idées très actuelles qui vous permettront de profiter davantage de votre famille et de vos amis. Et la plupart des plats seront sur la table en 30 minutes !

Tirer le meilleur parti de son congélateur

- Un congélateur doit être parfaitement hermétique, de façon à ce que les aliments ne se dessèchent pas, ne se décolorent pas et n'exhalent pas de mauvaises odeurs.

- Utilisez de préférence des récipients plutôt plats : les aliments se congèlent et se décongèlent plus vite s'ils sont disposés en couches peu épaisses.

- Congelez les herbes fraîches, les piments, la citronnelle et le gingembre à sec, dans des sacs congélation, ou finement émincés et recouverts d'un peu d'eau dans des bacs à glaçons. Une fois pris, vous transférerez ces glaçons aromatiques dans des sacs congélation. Lavez et séchez soigneusement les herbes ; pelez le gingembre mais congelez-le coupé en morceaux.

- Congelez les jus d'agrumes ou les bouillons dans des sacs à glaçons (vendus dans les grandes surfaces) ou dans des bacs ; vous prélèverez à chaque fois la quantité nécessaire pour préparer une sauce, une soupe, etc.

- Un reste de riz ou de pâtes sèches (mais pas de pâtes fraîches) se congèle très bien.

- Si vous n'utilisez pas le micro-ondes, décongelez les aliments au réfrigérateur ; prévoyez 10 à 24 heures, en fonction de la quantité.

Se familiariser avec son micro-ondes

- Les fonctions du micro-ondes ne se limitent pas au réchauffage et à la décongélation ; il permet aussi de gagner du temps sur la préparation et la cuisson.

- Les petits morceaux cuisent plus vite que les gros : coupez tous les ingrédients en morceaux de la même taille pour que la cuisson soit homogène.

- Faites cuire les aliments en plusieurs fois. Le temps de cuisson est plus long si le four est trop rempli, et la cuisson risque de ne pas être homogène.

- Il vaut mieux faire cuire les aliments un peu moins que trop, et prolonger le temps de cuisson par petites étapes jusqu'au degré de cuisson souhaité.

- N'oubliez pas le temps de repos car les aliments continuent de cuire une fois sortis du four.

- Si tous les aliments n'ont pas la même épaisseur, placez les plus épais du côté de la paroi et les plus minces au centre.

- Il est essentiel de remuer ou déplacer les aliments pendant la cuisson, car les micro-ondes, en règle générale, n'assurent pas une cuisson homogène.

Cocktail de jus de fruits à la menthe

Pelez des papayes, des oranges, des citrons et de l'ananas. Mixez le tout puis ajoutez de la menthe fraîche ciselée.

Milk-shake pêche et banane

Mixez une banane et une pêche épluchées, avec du lait de soja 1 pincée de cannelle, jusqu'à obtention d'une texture lisse.

Nids de pancetta aux œufs mollets

Tapissez de tranches de pancetta le fond et les parois d'un moule à muffin ; faites-les se chevaucher pour former une coupelle. Parsemez d'oignon vert émincé et cassez un œuf au centre. Enfournez et laissez cuire environ 10 minutes à 200 °C ; les œufs doivent être à peine mollets. Servez sur une tranche de pain grillé et parsemez d'oignon vert émincé.

Croissants au Nutella

Découpez une feuille de pâte feuilletée en quatre triangles. Tartine chacun d'eux de Nutella puis saupoudrez de chocolat noir râp Roulez les triangles en partant du bord le plus large et arrondissez-le en croissant. Posez-les sur la plaque à pâtisserie graissée. Badigeonne les croissants de beurre fondu, enfournez et laissez cuire 12 minut à 220-230 °C. Saupoudrez de sucre glace avant de servir.

Des idées pour le petit-déjeuner

us de melon et de fraise

assez au robot ou au mixeur des quartiers de melon et pastèque
ais et des fraises, jusqu'à obtention d'une texture lisse.

Céréales fantaisie

Dans un grand verre, empilez en couches successives vos céréales
préférées, du yaourt à la vanille et des fruits frais.

Muffins à la ricotta et à la mangue grillée

oastez des muffins, couvrez-les d'une couche de ricotta puis de
ues de mangue grillées ; arrosez d'un filet de miel et saupoudrez de
oix de muscade.

Compote de fruits et yaourt au miel

Mettez dans une casserole du jus d'orange, de l'eau, du miel et un
bâton de cannelle ; portez à ébullition. Ajoutez des fruits secs (poires,
abricots et dattes) et laissez frémir 5 minutes, jusqu'à ce que les fruits
soient tendres. Retirez la cannelle. Servez les fruits chauds accompagnés de yaourt au miel.

Les poissons et fruits de mer

Saumon à la sauce piment et citron vert, salade de crabe ou risotto aux crevettes : les produits de la mer sont les ingrédients les plus frais et les plus vite cuits. Si votre poissonnier les prépare, vous gagnerez encore du temps. Profitez sans compter de ces aliments généreux et sains.

Darnes de cabillaud au beurre de basilic

Pour 4 personnes

PRÉPARATION 10 MINUTES
CUISSON 10 MINUTES

80 g de beurre
2 c. s. de pesto au basilic
1/4 c. c. de poivre noir concassé
1 c. c. de zeste de citron râpé
4 darnes de cabillaud de 200 g
100 g de pousses d'épinards

1 Mélangez intimement, au robot ou au mixeur, le beurre, le pesto, le poivre et le zeste de citron.

2 Faites cuire le poisson dans une grande poêle antiadhésive légèrement huilée et préchauffée ; retournez-le pour qu'il dore des deux côtés. Procédez en deux fois et réservez.

3 Faites fondre le beurre aromatisé dans la poêle, à feu doux et en remuant. Ajoutez le poisson et retournez-le pour bien l'en enrober.

4 Servez le poisson accompagné de pousses d'épinards.

Pratique Il existe différentes sortes de pesto : le pesto frais, vendu en rayon réfrigéré, et le pesto en bocal, au rayon épicerie des grandes surfaces. Testez-en plusieurs pour déterminer celui que vous préférez.

Par portion lipides 24,5 g ; 379 kcal

Pavés de saumon sauce au citron et au piment

Pour 4 personnes

PRÉPARATION 10 MINUTES
CUISSON 10 MINUTES

2 gousses d'ail pilées
1 c. c. de zeste de citron vert râpé
5 g de gingembre frais râpé
4 pavés de saumon de 220 g
sans la peau
20 g de beurre
1 c. s. d'huile d'arachide
8 mini-bok choy coupés en deux
80 ml de sauce au piment douce
60 ml de jus de citron vert
2 c. s. de coriandre fraîche
ciselée

1 Mélangez l'ail, le zeste de citron et le gingembre. Appliquez la moitié de cette préparation sur le poisson, côté chair.

2 Faites chauffer l'huile et le beurre dans une grande poêle, jusqu'à ce que le beurre commence à mousser. Faites-y cuire le poisson en le retournant pour qu'il dore des deux côtés. Réservez-le au chaud.

3 Faites cuire le bok choy dans la poêle avec la sauce au piment douce et le jus de citron : il doit être tendre mais rester légèrement croquant.

4 Parsemez le saumon de coriandre et servez avec du bok choy.

Par portion lipides 25,6 g ; 452 kcal

Filets de julienne et pancetta au beurre de câpres

Pour 4 personnes

PRÉPARATION 15 MINUTES • CUISSON 10 MINUTES

80 g de beurre ramolli
2 c. s. de persil plat frais grossièrement ciselé
1 c. s. de câpres rincées et égouttées
2 gousses d'ail coupées en quatre
2 oignons verts grossièrement hachés
8 tranches de pancetta
4 filets de julienne de 200 g
1 c. s. d'huile d'olive
350 g d'asperges épluchées

1 Passez au robot ou au mixeur le beurre, le persil, les câpres, l'ail et l'oignon jusqu'à obtention d'une pâte lisse.

2 Étalez une cuillerée à soupe bombée de beurre aromatisé sur chaque filet de poisson avant de poser dessus deux tranches de pancetta.

3 Faites chauffer l'huile dans une grande poêle à fond épais et faites cuire le poisson sur la pancetta, jusqu'à ce que celle-ci soit croustillante. Retournez le poisson avec précaution et terminez la cuisson.

4 Pendant ce temps, faites cuire les asperges à l'eau ou à la vapeur jusqu'à ce qu'elles soient tendres.

5 Servez le poisson et les asperges arrosés du jus de cuisson.

Par portion lipides 29,6 g ; 469 kcal

Filets de cabillaud et mayonnaise au wasabi

Pour 4 personnes

PRÉPARATION 5 MINUTES
CUISSON 10 MINUTES

100 g de mayonnaise
2 c. c. de pâte wasabi
2 oignons verts finement hachés
2 c. s. de coriandre fraîche
grossièrement ciselée
2 c. s. de jus de citron vert
1 c. s. d'huile d'arachide
4 filets de cabillaud de 200 g
500 g de brocolis chinois

1 Mélangez la mayonnaise, le wasabi, l'oignon, la coriandre et le jus de citron dans un petit saladier. Couvrez et réservez.

2 Faites chauffer l'huile dans une grande poêle. Faites-y cuire le poisson et retournez-le pour qu'il dore des deux côtés.

3 Pendant ce temps, faites cuire les brocolis à l'eau ou à la vapeur jusqu'à ce qu'ils soient tendres mais légèrement croquants, puis égouttez-les. Répartissez-les entre les assiettes de service, posez le poisson dessus et nappez de mayonnaise au wasabi.

Pratique Si vous aimez les saveurs plus prononcées, mettez dans la mayonnaise une cuillerée à café de wasabi supplémentaire. Ce condiment (une sorte de raifort japonais) se trouve dans les magasins asiatiques et dans certains supermarchés, sous forme de pâte (en tube) ou de poudre (en boîte).

Par portion lipides 17,2 g ; 359 kcal

Filet de poisson au basilic et aux olives noires

Pour 4 personnes

PRÉPARATION 10 MINUTES
CUISSON 10 MINUTES

100 ml d'huile d'olive
4 filets de poisson blanc de 200 g
(perche, cabillaud, lingue)
750 g de feuilles d'épinards
1 c. s. de jus de citron
1/4 c. c. d'éclats de piment séché
80 ml d'huile d'olive
1 gousse d'ail pilée
50 g d'olives noires dénoyautées
quelques feuilles de basilic
ciselées

1 Faites chauffer 20 ml d'huile dans une poêle antiadhésive. Faites-y cuire le poisson et retournez-le pour qu'il dore des deux côtés.

2 Pendant ce temps, faites cuire les épinards à l'eau ou à la vapeur jusqu'à ce qu'ils soient juste tendres. Égouttez-les.

3 Quand le poisson est cuit, retirez-le de la poêle et réservez-le au chaud entre deux assiettes. Versez le jus de citron et le reste d'huile dans la poêle, ajoutez le piment, l'ail et les olives ; remuez jusqu'à ce que le mélange soit bien chaud.

4 Servez le poisson sur un lit d'épinards. Nappez-le de sauce et garnissez de basilic ciselé.

Par portion lipides 27,9 g ; 449 kcal

Papillotes de dorade à la sauce thaïe

Pour 4 personnes

PRÉPARATION 10 MINUTES • CUISSON 15 MINUTES

200 g de nouilles de riz
4 filets de dorade de 150 g
150 g de mini-bok choy coupés en quatre
150 g de haricots mangetout détaillés en fine julienne
1 c. s. de citronnelle émincée
8 feuilles de kaffir grossièrement ciselées
1 c. c. de sauce de soja
2 c. s. de sauce au piment douce
1 c. c. de nuoc-mâm
2 c. s. de jus de citron vert
1 c. s. de coriandre fraîche grossièrement ciselée

1   Préchauffez le four à 220-230 °C.

2   Mettez les nouilles dans un récipient résistant à la chaleur et couvrez-les d'eau bouillante. Laissez-les reposer jusqu'à ce qu'elles soient tendres, puis égouttez-les.

3   Répartissez les nouilles entre quatre grandes feuilles de papier d'aluminium. Posez les filets de dorade sur les nouilles et répartissez équitablement le bok choy, les mangetout, la citronnelle et les feuilles de kaffir. Mélangez la sauce de soja, la sauce au piment douce, le nuoc-mâm et le jus de citron vert puis arrosez les filets de ce mélange. Fermez les papillotes et disposez-les sur la plaque du four, en une seule couche.

4   Enfournez et laissez cuire 15 minutes, jusqu'à ce que le poisson soit cuit à cœur. Ouvrez les papillotes et transférez leur contenu sur les assiettes de service. Parsemez de coriandre ciselée.

Pratique Vous pouvez préparer les papillotes plusieurs heures à l'avance et les conserver au réfrigérateur.

Par portion lipides 4,4 g ; 333 kcal

Cabillaud à la mode cajun

Pour 4 personnes

PRÉPARATION 5 MINUTES
CUISSON 10 MINUTES

2 c. c. de cumin en poudre
2 c. c. de coriandre en poudre
2 c. c. de paprika doux
2 c. c. de moutarde en poudre
2 c. c. d'oignon en poudre
1/2 c. c. d'ail en poudre
1/4 c. c. de poivre de Cayenne
2 c. c. de graines de fenouil
4 darnes de cabillaud de 200 g
2 citrons verts coupés en tranches épaisses

1 Mélangez les épices, l'oignon, l'ail, le poivre et les graines de fenouil dans un saladier. Ajoutez le poisson et enrobez-le de toutes parts de ce mélange. Faites cuire les darnes sur un gril en fonte huilé et préchauffé, sous le gril du four ou au barbecue, et retournez-les pour qu'elles dorent bien des deux côtés.

2 Pendant ce temps, faites revenir les tranches de citron, des deux côtés, sur un gril préchauffé.

3 Servez le poisson accompagné des tranches de citron grillées.

Pratique Vous pouvez remplacer le cabillaud par un autre poisson blanc à chair ferme. Le mélange cajun est vendu tout prêt dans les épiceries fines.

Par portion lipides 4,4 g ; 204 kcal

Salade de crevettes à la menthe

Pour 4 personnes

PRÉPARATION 30 MINUTES

1 kg de crevettes cuites
1 mini-concombre
1 c. s. de nuoc-mâm
60 ml de jus de citron vert
125 ml de lait de coco
2 c. s. de sucre
1 gousse d'ail pilée
10 g de gingembre frais râpé
1 petit piment rouge émincé
100 g de cresson
160 g de germes de soja
quelques feuilles de menthe
fraîche ciselées

1 Décortiquez les crevettes en gardant la queue. Coupez le concombre en deux dans la longueur et émincez-le finement en biseau.

2 Dans un grand saladier, battez ensemble le nuoc-mâm, le jus de citron, le lait de coco, le sucre, l'ail, le gingembre et le piment. Ajoutez les crevettes, le concombre, le cresson, mes germes de soja et la menthe. Mélangez délicatement le tout.

Par portion lipides 9,8 g ; 371 kcal

Crevettes pimentées aux graines de moutarde

Pour 4 personnes

PRÉPARATION 20 MINUTES • CUISSON 7 MINUTES

1 kg de grosses crevettes crues
1/4 c. c. de curcuma en poudre
2 petits piments rouges frais, épépinés et émincés
2 c. s. d'huile végétale
2 c. c. de graines de moutarde noires
2 gousses d'ail pilées
2 c. s. de coriandre fraîche ciselée

1 Décortiquez les crevettes en gardant la queue et retirez la veine centrale. Incisez le dos des crevettes sans les couper complètement et aplatissez-les.

2 Mélangez le curcuma et le piment dans un saladier ; retournez les crevettes dans ce mélange pour qu'il s'incruste dans la chair.

3 Faites chauffer l'huile dans une grande poêle et faites-y sauter l'ail et les graines de moutarde jusqu'à ce que celles-ci éclatent. Ajoutez les crevettes et faites-les cuire en remuant jusqu'à ce qu'elles changent de couleur. Incorporez enfin la coriandre.

Pratique Si vous aimez les saveurs relevées, n'épépinez pas les piments : toute leur force est concentrée dans les graines et les membranes. Il existe plusieurs variétés de graines de moutarde, noires, marron ou jaunes. Nous avons choisi les noires, plus épicées et plus piquantes (en vente dans les grands supermarchés ou dans les magasins de produits biologiques).

Par portion lipides 10,1 g ; 197 kcal

Dorade croustillante
aux légumes sautés et haricots noirs

Pour 4 personnes

PRÉPARATION 15 MINUTES
CUISSON 10 MINUTES

1/2 c. c. de sel de Guérande
1 c. c. de poivre noir concassé
4 filets de dorade de 250 g,
la peau écaillée
1 c. c. d'huile de sésame
1 gros oignon jaune
coupé en minces quartiers
1 gousse d'ail pilée
5 g de gingembre frais râpé
1 c. s. de haricots noirs salés,
rincés et égouttés
1 poivron vert moyen
grossièrement émincé
1 poivron rouge moyen
grossièrement émincé
6 oignons verts
grossièrement émincés
100 g de pois gourmands
100 g de brocolinis
grossièrement émincés
125 ml d'eau
60 ml de sauce d'huîtres
2 c. s. de jus de citron
500 g de mini-bok choy
grossièrement émincés
80 g de germes de soja

1 Mélangez le sel et le poivre dans un petit saladier. Frottez ensuite ce mélange sur la peau des filets de dorade. Faites cuire ces derniers, sur un gril en fonte légèrement huilé et préchauffé ou au barbecue, jusqu'à ce que la peau soit dorée et croustillante. Retournez-les pour terminer la cuisson. Couvrez-les pour qu'ils restent chauds.

2 Faites chauffer l'huile dans un wok ou une grande poêle et faites-y sauter l'ail, le gingembre et l'oignon jusqu'à ce que celui-ci soit doré et fondant. Ajoutez les haricots et faites sauter l'ensemble 1 minute. Ajoutez les deux poivrons, les oignons verts, les pois gourmands et les brocolinis ; continuez la cuisson jusqu'à ce qu'ils soient tendres mais légèrement croquants.

3 Incorporez l'eau, la sauce d'huîtres et le jus de citron ; remuez jusqu'à ce que la sauce ait légèrement épaissi. Ajoutez le bok choy et les germes de soja et faites-les sauter jusqu'à ce qu'ils soient chauds.

4 Servez le poisson sur un lit de légumes.

Pratique Le brocolini est un croisement entre le brocoli et le brocoli chinois. La tige est longue et se termine par un bouquet de fleurs ressemblant à celui du brocoli. Tout est comestible dans le brocolini, des fleurs à la tige. Dans cette recette, vous pouvez le remplacer par du brocoli chinois.

Par portion lipides 5,9 g ; 336 kcal

Crevettes au basilic et au piment

Pour 4 personnes

PRÉPARATION 25 MINUTES
CUISSON 15 MINUTES

1 kg de crevettes royales crues
2 oignons blancs moyens
2 c. s. d'huile d'arachide
240 g de germes de soja

Pesto au piment
1 poignée de basilic frais ciselé
2 c. s. de coriandre fraîche ciselée
60 ml d'huile d'arachide
2 c. c. de sambal oelek
4 gousses d'ail pilées
5 g de gingembre frais râpé
2 c. s. de xérès sec
1 c. c. d'huile de sésame

1 Décortiquez les crevettes en gardant la queue ; retirez la veine centrale. Versez le pesto pimenté dans un saladier, ajoutez les crevettes et mélangez. Coupez les oignons en quartiers.

2 Faites chauffer l'huile dans un wok ou une grande poêle et faites-y fondre l'oignon, qui doit rester un peu ferme. Incorporez les crevettes au pesto et faites-les sauter jusqu'à ce qu'elles soient tendres. Ajoutez les germes de soja.

Pesto au piment Passez tous les ingrédients au robot ou au mixeur jusqu'à obtention d'une pâte lisse.

Pratique Vous pouvez préparer le pesto trois jours à l'avance et le conserver au réfrigérateur.

Par portion lipides 25,7 g ; 484 kcal

Salade de pâtes au thon

Pour 6 personnes

PRÉPARATION 15 MINUTES • CUISSON 15 MINUTES

300 g de conchiglie
250 g de haricots verts frais coupés en deux
370 g de thon à l'huile pimentée en conserve
1 petit bouquet de persil plat grossièrement ciselé
1 petit bouquet de persil de basilic ciselé grossièrement
2 c. s. de petites câpres rincées et égouttées
150 g de feuilles de roquette
60 ml d'huile d'olive
60 ml de jus de citron
2 gousses d'ail pilées
2 c. c. de sucre

1 Faites cuire les pâtes dans un grand volume d'eau bouillante, à découvert, jusqu'à ce qu'elles soient al dente. Rincez-les à l'eau froide, puis égouttez-les.

2 Pendant que les pâtes cuisent, faites cuire les haricots à l'eau ou à la vapeur : ils doivent être tendres mais rester légèrement croquants. Égouttez-les, rincez-les à l'eau froide et égouttez-les à nouveau.

3 Égouttez le thon et réservez l'huile. Mettez le thon dans un saladier et émiettez-le à la fourchette. Ajoutez les pâtes, les haricots, le persil, le basilic, les câpres et la roquette ; mélangez délicatement le tout.

4 Mettez le reste des ingrédients dans un bocal pourvu d'un couvercle, fermez et secouez vigoureusement. Versez cet assaisonnement sur la salade et mélangez.

Pratique La salade peut être préparée plusieurs heures à l'avance et conservée au réfrigérateur ; vous ajouterez l'assaisonnement au moment de servir.

Par portion lipides 24,3 g ; 452 kcal

Poisson poché à la crème de coco

Pour 4 personnes

PRÉPARATION 15 MINUTES
CUISSON 20 MINUTES

2 c. c. d'huile d'arachide
2 gousses d'ail pilées
5 g de gingembre frais râpé
20 g de curcuma frais râpé
2 petits piments rouges frais
émincés
375 ml de fumet de poisson
400 ml de crème de coco
en conserve
1 morceau de galanga frais
de 20 g coupé en deux
1 tige de citronnelle fraîche
détaillée en tronçons de 2 cm
4 filets de poisson blanc
à chair ferme de 200 g
2 c. s. de nuoc-mâm
2 oignons verts émincés

1 Faites chauffer l'huile dans un wok ou une grande poêle. Faites-y revenir l'ail, le gingembre, le curcuma et le piment jusqu'à ce qu'ils embaument. Ajoutez le fumet de poisson, la crème de coco, le galanga et la citronnelle et portez à ébullition. Ajoutez le poisson, baissez le feu et laissez mijoter environ 8 minutes à couvert, jusqu'à ce que le poisson soit cuit à votre goût. Retirez le galanga et la citronnelle.

2 Sortez le poisson avec une écumoire et réservez-le sur le plat de service, à couvert. Portez la sauce à ébullition et laissez-la bouillonner 5 minutes. Retirez le wok du feu. Incorporez le nuoc-mâm et l'oignon vert. Versez la sauce sur le poisson avant de servir.

Pratique Portez des gants pour râper le curcuma : sans cette précaution, il teinterait vos doigts en jaune !

Par portion lipides 24,5 g ; 414 kcal

Salade de la mer aux légumes asiatiques

Pour 4 personnes

PRÉPARATION 20 MINUTES
CUISSON 20 MINUTES

**500 g de crevettes crues
de taille moyenne
500 g de corps de calamars
500 g de poisson blanc à chair
ferme (dorade, colin, lingue)
1 c. s. d'huile d'arachide
2 gousses d'ail émincées
50 g de gingembre frais émincé
5 oignons verts
grossièrement émincés
500 g de mini-bok choy
grossièrement émincés
500 g de choy sum
grossièrement émincés
2 c. s. de sauce de soja claire
2 c. s. de sauce d'huîtres
1 c. s. de sauce au piment
douce**

1 Décortiquez les crevettes en gardant la queue ; retirez la veine centrale. Coupez le corps des calamars en deux dans la longueur. Incisez la face intérieure et coupez les morceaux en lamelles de 5 cm de large. Détaillez le poisson en cubes de 3 cm.

2 Faites chauffer la moitié de l'huile dans un wok ou une grande poêle. Faites-y sauter les crevettes et le calamar jusqu'à ce qu'ils soient dorés et cuits à point. Réservez.

3 Faites chauffer le reste d'huile dans le wok. Faites-y sauter l'ail, le gingembre et l'oignon, jusqu'à ce que celui-ci soit tendre.

4 Mélangez la sauce de soja claire, la sauce d'huîtres et la sauce au piment douce. Remettez le poisson dans le wok. Ajoutez le bok choy, le choy sum et le mélange de sauces. Faites sauter jusqu'à ce que les légumes soient légèrement attendris et chauds.

Par portion lipides 9,9 g ; 366 kcal

Salade de poulpes grillés

Pour 4 personnes

PRÉPARATION 15 MINUTES • CUISSON 5 MINUTES

80 ml de jus d'orange
1 c. s. de jus de citron
160 ml d'huile d'olive
1 gousse d'ail pilée
600 g de petits poulpes nettoyés
160 g d'olive noires dénoyautées
5 mini-concombres épépinés et détaillées en gros cubes
200 g de tomates cerises coupées en deux
1 poignée de persil plat grossièrement ciselé

1 Versez le jus d'orange, le jus de citron et l'huile dans un bocal pourvu d'un couvercle ; ajoutez l'ail, fermez le couvercle et agitez.

2 Faites cuire les poulpes sur un gril en fonte préchauffé, sous le gril du four ou au barbecue, jusqu'à ce qu'ils soient tendres et légèrement dorés. Procédez en plusieurs fois.

3 Transférez les poulpes dans un saladier, arrosez-les de l'assaisonnement, ajoutez les olives, le concombre, les tomates et le persil ; mélangez délicatement le tout.

Par portion lipides 39,6 g ; 566 kcal

Risotto express
aux crevettes et aux petits pois

Pour 4 personnes

PRÉPARATION 5 MINUTES
CUISSON 25 MINUTES

600 g de grosses crevettes cuites
50 g de beurre
1 petit poireau émincé
2 gousses d'ail pilées
8 stigmates de safran
400 g de riz arborio
500 ml d'eau bouillante
250 ml de vin blanc sec
375 ml de fumet de poisson
120 g de petits pois congelés
2 c. s. de ciboulette fraîche
grossièrement ciselée
60 ml de jus de citron

1 Décortiquez les crevettes en gardant la queue ; retirez la veine centrale.

2 Mettez 20 g de beurre, le poireau, l'ail et le safran dans un grand plat allant au micro-ondes. Enfournez et laissez cuire à couvert environ 2 minutes, en position de cuisson maxi, jusqu'à ce que le poireau soit tendre. Ajoutez le riz et poursuivez la cuisson à couvert 1 minute, toujours en position de cuisson maxi. Versez l'eau, le vin et le fumet et laissez cuire encore 15 minutes, en remuant à deux ou trois reprises.

3 Ajoutez les petits pois et les crevettes (vous pouvez réserver quelques crevettes pour la décoration) et laissez cuire encore 3 minutes à couvert, en position de cuisson maxi. Incorporez la ciboulette, le jus de citron et le reste de beurre.

Par portion lipides 12,2 g ; 615 kcal

Poulpes sautés au basilic

Pour 4 personnes

PRÉPARATION 20 MINUTES
CUISSON 10 MINUTES

1 kg de petits poulpes
2 c. c. d'huile d'arachide
2 c. c. d'huile de sésame
2 gousses d'ail pilées
2 petits piments rouges frais
émincés
2 gros poivrons rouges émincés
6 oignons verts
détaillés en tronçons de 2 cm
1 poignée de basilic thaï frais
60 ml de nuoc-mâm
65 g de sucre de palme râpé
ou de sucre roux
1 c. s. de kecap manis
(sauce de soja sucrée)

1 Retirez la tête et le bec des poulpes et coupez les corps en deux. Rincez-les à l'eau froide et égouttez-les.

2 Faites chauffer l'huile d'arachide dans un wok ou une grande poêle et faites-y sauter les poulpes, en plusieurs tournées, jusqu'à ce qu'ils soient tendres et dorés de toutes parts. Réservez au chaud.

3 Faites chauffer l'huile de sésame dans le wok et faites-y sauter l'ail, les piments et les poivrons jusqu'à ce que ces derniers soient juste tendres. Remettez les poulpes dans le wok, ajoutez l'oignon, le basilic, le nuoc-mâm, le sucre et le kecap manis. Faites sauter jusqu'à ce que le basilic soit légèrement flétri et le sucre complètement dissous.

Par portion lipides 6,4 g ; 250 kcal

Salade de crabe

Pour 4 personnes

PRÉPARATION 15 MINUTES

1 beau crabe (tourteau) cuit
250 g de chou chinois émincé
1 mini-concombre épépiné et détaillé en cubes
1 oignon rouge coupé en deux et émincé
6 oignons verts détaillés en tronçons de 4 cm
quelques feuilles de menthe fraîche

Assaisonnement
2 gousses d'ail pilées
2 c. s. de jus de citron vert
2 c. s. de nuoc-mâm
1 c. s. de sucre roux
2 petits piments rouges frais finement hachés

1 Décortiquez le crabe en prenant soin qu'il ne reste pas de débris de carapace. Émiettez la chair selon la texture désirée.

2 Mettez le crabe dans un grand saladier ; ajoutez le chou, le concombre, l'oignon rouge, l'oignon vert et la menthe. Versez l'assaisonnement et mélangez délicatement le tout.

Assaisonnement Mettez tous les ingrédients dans un bocal pourvu d'un couvercle, refermez et secouez vigoureusement.

Par portion lipides 1 g ; 126 kcal

Salade de thon à la tunisienne

Pour 4 personnes

PRÉPARATION 30 MINUTES
CUISSON 2 MINUTES

**2 œufs durs
1 poivron vert
détaillé en petits dés
2 tomates épépinées
et finement concassées
4 oignons verts émincés
2 filets d'anchois égouttés
et émincés
10 olives vertes dénoyautées
et émincées
2 petits piments rouges frais
épépinés et finement hachés
2 c. c. de menthe fraîche
finement ciselée
185 g de thon en conserve
égoutté et émietté
1 c. s. de petites câpres
rincées et égouttées**

Assaisonnement
**2 c. s. d'huile d'olive
1 gousse d'ail pilée
1 c. c. de graines de coriandre
1 c. c. de graines de carvi
1 c. s. de jus de citron
2 c. s. de vinaigre de vin rouge**

1 Écalez les œufs et émincez-les.
2 Mettez les tranches d'œuf dans un saladier de taille moyenne et ajoutez tous les autres ingrédients. Versez l'assaisonnement dessus et mélangez délicatement.

Assaisonnement Faites chauffer l'huile dans une petite poêle et faites-y sauter l'ail, et les graines de coriandre et de carvi jusqu'à ce qu'elles embaument. Incorporez le jus de citron et le vinaigre.

Pratique Vous pouvez remplacer le thon en conserve par du thon frais grillé. Cette salade, spécialité de Tunis, est aussi savoureuse qu'agréable à l'œil. La cuisine d'Afrique du Nord est souvent très épicée ; cette recette ne compte que deux piments, mais vous pouvez tout à fait augmenter ou réduire la dose selon votre goût.

Par portion lipides 14,2 g ; 238 kcal

Moules à la sauce de haricots noirs

Pour 4 personnes

PRÉPARATION 20 MINUTES
CUISSON 25 MINUTES

200 g de riz au jasmin
1 kg de moules
250 ml d'eau
80 ml de sauce de haricots noirs
2 gros piments rouges frais épépinés et émincés
4 oignons verts émincés

1 Versez le riz dans une grande casserole d'eau bouillante ; couvrez et laissez bouillonner jusqu'à ce qu'il soit cuit. Égouttez.

2 Brossez les moules et retirez les barbes. Versez l'eau dans une casserole, ajoutez la sauce de haricots noirs et le piment ; portez à ébullition.

3 Ajoutez les moules et laissez-les cuire 3 minutes à couvert, jusqu'à ce qu'elles s'ouvrent. Éliminez celles qui sont restées fermées.

4 Répartissez le riz entre quatre assiettes creuses de service, déposez les moules dessus et arrosez de bouillon. Parsemez d'oignon vert émincé.

Par portion lipides 5 g ; 403 kcal

Soupe de bœuf à la chinoise

Portez à ébullition un mélange d'eau, de bouillon, de gingembre râpé et de sauce de soja puis faites-y cuire des nouilles de soja. Quand elles sont tendres, ajoutez-y de fines tranches de rumsteck, du poivron rouge émincé, de jeunes épis de maïs, du bok choy émincé et des germes de soja ; laissez réchauffer le tout.

Soupe de crevettes

Mélangez un bouillon de volaille avec du gingembre frais râpé, de citronnelle fraîche râpée, du jus de citron, du nuôc-mâm et du samb oelek. Laissez frémir 5 minutes. Ajoutez quelques crevettes et laiss frémir jusqu'à ce qu'elles aient changé de couleur. Servez cette soup agrémentée de feuilles de coriandre.

Soupe de pois chiches à la marocaine

Dans une casserole, faites revenir de l'oignon, de l'ail pilé et du gingembre râpé dans un peu d'huile, puis saupoudrez d'un mélange d'épices marocain. Quand les épices embaument, ajoutez un bouillon de volaille, des tomates concassées en boîte avec leur jus et des pois chiches en boîte, égouttés. Portez à ébullition et laissez frémir 10 minutes. Servez cette soupe agrémentée de coriandre fraîche ciselée.

Laksa de poulet

Dans une casserole, faites revenir la pâte laksa dans un peu d'huile ju qu'à ce qu'elle embaume. Incorporez du lait de coco allégé, d bouillon de volaille, du jus de citron vert, du nuoc-mâm, une pincé de sucre et quelques feuilles de citronnier kaffir ; portez à ébullitio Ajoutez alors un blanc de poulet émincé et laissez chauffer. Dépose un nid de nouilles fraîches aux œufs dans le fond de chaque bo versez le laksa dessus et recouvrez de germes de soja et de feuille de menthe.

Petites soupes express

Soupe de poulet au maïs

Dans une casserole, faites fondre des oignons verts et de l'ail pilé dans un peu d'huile d'arachide. Arrosez d'un bouillon de volaille ; portez le mélange à ébullition et faites-y cuire un blanc de poulet émincé. Ajoutez du maïs à la crème et des épis de maïs en conserve et laissez chauffer.

Soupe thaïe au potiron

Faites cuire à sec de la pâte de curry rouge, puis mouillez avec un mélange de velouté de potiron, de lait de coco et de bouillon de volaille. Portez cette soupe à ébullition et faites-y cuire un blanc de poulet émincé. Ajoutez quelques tranches d'oignon vert et du basilic frais finement ciselé. Servez bien chaud.

Minestrone minute

Dans une casserole, faites fondre de l'oignon et de l'ail pilé. Ajoutez de la carotte, du céleri et du panais émincés, et poursuivez la cuisson 5 minutes. Ajoutez des tomates concassées en boîte avec leur jus, un peu de concentré de tomates et un bouillon de volaille. Portez à ébullition puis mettez à cuire dans le minestrone des macaronis et des haricots borlotti en boîte, rincés et égouttés. Servez-le agrémenté de parmesan râpé ou en copeaux.

Velouté aux petits pois

Dans une casserole, faites revenir du poireau et du céleri émincés dans un peu de beurre fondu. Ajoutez des pommes de terre coupées en dés et un bouillon de volaille. Couvrez et portez à ébullition. Incorporez des petits pois surgelés et poursuivez la cuisson 5 minutes. Passez cette soupe au robot ou au mixeur ; servez-la avec un peu de crème fraîche.

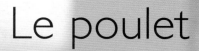

Le poulet

Ingrédient idéal de la cuisine rapide, le poulet est facile
à préparer et se prête à une multitude de recettes,
des sautés minute aux salades santé. Manchons caramélisés,
curry vert et enchiladas sont quelques-uns des plats
que vous pourrez préparer en un éclair.

Salade de poulet au citron vert

Pour 6 personnes

PRÉPARATION 10 MINUTES

200 g de vermicelles chinois
1 carotte moyenne émincée
2 oignons verts émincés
1 poivron rouge moyen émincé
400 g de poulet cuit émincé
quelques feuilles de menthe fraîche
quelques feuilles de coriandre fraîche ciselées
2 gousses d'ail pilées
1 petit piment rouge frais, épépiné et finement haché
2 c. s. de vinaigre de riz
125 ml de jus de citron vert
80 ml d'huile d'arachide
2 c. s. de nuoc-mâm

1 Mettez les vermicelles dans un grand récipient résistant à la chaleur et couvrez-les d'eau bouillante. Laissez-les tremper jusqu'à ce qu'ils soient tendres, puis égouttez-les.

2 Versez les vermicelles dans un grand saladier ; ajoutez la carotte, l'oignon, le poivron, le poulet, les herbes et les autres ingrédients préalablement mélangés. Remuez délicatement le tout.

Pratique Vous pouvez faire tremper et égoutter les vermicelles (magasins asiatiques et grandes surfaces) plusieurs heures à l'avance ; conservez-les au réfrigérateur jusqu'au moment de préparer la salade. Pour que cette salade soit encore moins riche en lipides, retirez la peau du poulet.

Par portion lipides 26,9 g ; 376 kcal

Salade de poulet au miel pimenté

Pour 4 personnes

PRÉPARATION 15 MINUTES
CUISSON 10 MINUTES

500 g de blanc de poulet émincé
90 g de miel
4 petits piments rouges frais
épépinés et émincés
20 g de gingembre frais râpé
500 g d'asperges vertes
épluchées
2 c. s. d'huile d'arachide
4 oignons verts finement émincés
1 poivron vert moyen émincé
1 poivron jaune moyen émincé
1 carotte moyenne émincée
150 g de chou chinois émincé
80 ml de jus de citron vert

1 Mélangez le poulet, le miel, le piment et le gingembre dans un saladier de taille moyenne.

2 Coupez les asperges en deux et faites-les cuire à l'eau ou à la vapeur jusqu'à ce qu'elles soient juste tendres. Rafraîchissez-les immédiatement à l'eau froide et égouttez-les.

3 Pendant que les asperges cuisent, faites chauffer la moitié de l'huile dans un wok ou une grande poêle et faites-y sauter le poulet jusqu'à ce qu'il soit cuit à cœur et doré de toutes parts. Procédez en plusieurs fois.

4 Transférez le poulet dans un grand saladier ; ajoutez les asperges, les oignons verts, les deux poivrons, la carotte, le chou, le jus de citron et le reste d'huile. Mélangez délicatement le tout.

Pratique Si vous achetez un poulet déjà cuit, vous n'aurez plus qu'à le désosser, retirer la peau et émincer la chair avant de l'intégrer à la salade.

Par portion lipides 20,9 g ; 408 kcal

Salade de poulet au fenouil et à l'orange

Pour 4 personnes

PRÉPARATION 15 MINUTES
CUISSON 10 MINUTES

1 c. s. d'huile d'olive
30 g de beurre
500 g de blanc de poulet émincé
1 gros bulbe de fenouil émincé
60 g d'olives noires dénoyautées
coupées en quatre
3 oignons verts
grossièrement émincés
2 oranges moyennes
détaillées en quartiers
80 g de feuilles de roquette

Vinaigrette à l'orange

125 ml de jus d'orange
2 c. s. de vinaigre de vin rouge
2 c. s. d'huile d'olive
1/2 c. c. de sucre

1 Faites chauffer l'huile et le beurre une grande poêle. Faites-y cuire le poulet en remuant, jusqu'à ce qu'il soit tendre et bien doré, puis égouttez-le sur du papier absorbant.

2 Transférez le poulet dans un grand saladier ; ajoutez le fenouil, les olives, l'oignon vert, les quartiers d'orange, la roquette et la vinaigrette ; mélangez délicatement.

Vinaigrette à l'orange Versez tous les ingrédients dans un bocal pourvu d'un couvercle, refermez et secouez vigoureusement.

Pratique La vinaigrette peut être préparée trois jours à l'avance.

Par portion lipides 23,1 g ; 383 kcal

Tortillas au poulet tandoori

Pour 8 tortillas

PRÉPARATION 10 MINUTES • CUISSON 10 MINUTES

1 c. s. de jus de citron vert
100 g de pâte tandoori
70 g de yaourt
400 g de blanc de poulet
8 grandes tortillas de blé
60 g de cresson ou de pousses d'épinards

Raïta
280 g de yaourt
1 mini-concombre coupé en deux, épépiné et émincé
1 c. s. de menthe fraîche ciselée

1 Mélangez le jus de citron, la pâte tandoori et le yaourt dans un saladier ; ajoutez le poulet et retournez-le plusieurs fois dans cette marinade pour bien l'en enrober.

2 Faites cuire le poulet, en plusieurs tournées, sur un gril en fonte huilé et préchauffé, sous le gril du four ou au barbecue, jusqu'à ce qu'il soit cuit à cœur. Laissez-le reposer 5 minutes et découpez-le en lamelles épaisses.

3 Faites chauffer les tortillas en respectant les instructions portées sur l'emballage.

4 Répartissez le poulet, le cresson ou les pousses d'épinards et le raïta sur un quart de la surface de chaque tortilla. Repliez celle-ci en deux, puis à nouveau en deux pour former un cornet autour de la garniture.

Raïta Mélangez le yaourt, le concombre et la menthe dans un petit saladier.

Par portion lipides 8,8 g ; 240 kcal

Salade de poulet et haricots beurre

Pour 4 personnes

PRÉPARATION 15 MINUTES
CUISSON 5 MINUTES

**350 g de haricots beurre
coupés en deux
1 c. c. de zeste de citron vert
finement râpé
2 c. s. de jus de citron vert
1 c. s. de sucre de palme râpé
ou de sucre roux
1 gousse d'ail pilée
1 c. s. d'huile d'arachide
quelques feuilles de menthe
fraîche ciselées
2 c. c. de sauce au piment
douce
1 c. s. de nuoc-mâm
400 g de poulet cuit émincé
1 bouquet de coriandre fraîche
grossièrement ciselée
250 g de tomates cerises
coupées en deux
1 petit piment rouge frais
émincé**

1 Faites cuire les haricots à l'eau ou à la vapeur : ils doivent être tendres mais rester légèrement croquants. Égouttez-les.

2 Pendant que les haricots cuisent, mélangez le zeste et le jus de citron, le sucre, l'ail, l'huile, la menthe, la sauce au piment douce et le nuoc-mâm dans un grand saladier.

3 Ajoutez les haricots et le poulet, puis les tomates et les trois quarts de la coriandre ; mélangez délicatement.

4 Parsemez le plat de la coriandre restante et de piment émincé.

Pratique Vous pouvez servir cette salade dans des feuilles de salade ou de chou.

Par portion lipides 13,6 g ; 272 kcal

Salade d'endive et de poulet
aux noix de cajou

Pour 4 personnes

PRÉPARATION 20 MINUTES

1 endive moyenne
2 mini-romaines
1 poivron jaune moyen émincé
1 petit oignon rouge émincé
150 g de noix de cajou nature grillées
400 g de poulet cuit émincé

Assaisonnement

280 g de yaourt
2 gousses d'ail pilées
2 c. c. de zeste de citron râpé
60 ml de jus de citron
quelques feuilles de coriandre fraîche grossièrement ciselées

1 Coupez la base de l'endive sur 1 cm et détachez les feuilles. Dégagez le cœur des romaines et détachez les feuilles.

2 Mettez l'endive et la romaine dans un grand saladier avec le poivron, l'oignon, les noix de cajou et le poulet ; ajoutez l'assaisonnement et mélangez délicatement le tout.

Assaisonnement Mettez tous les ingrédients dans un bocal doté d'un couvercle, refermez et secouez vigoureusement.

Pratique Pour rehausser la saveur des noix de cajou, faites-les griller à sec dans une petite poêle à fond épais, à feu moyen et sans cesser de remuer.

Par portion lipides 31 g ; 518 kcal

Poulet sauté au basilic thaï

Pour 4 personnes

PRÉPARATION 20 MINUTES • CUISSON 15 MINUTES

2 c. s. d'huile d'arachide
600 g de blanc de poulet émincé
2 gousses d'ail pilées
5 g de gingembre frais râpé
4 petits piments rouges frais émincés
4 feuilles de kaffir grossièrement ciselées
1 oignon jaune moyen émincé
100 g de champignons de Paris coupés en quatre
1 grosse carotte émincée
60 ml de sauce d'huîtres
1 c. s. de sauce de soja
1 c. s. de nuoc-mâm
80 ml de bouillon de volaille
80 g de germes de soja
quelques feuilles de basilic thaï frais

1 Faites chauffer la moitié de l'huile dans un wok ou une grande poêle et faites-y sauter le poulet, en plusieurs fois, jusqu'à ce qu'il soit cuit à cœur et doré de toutes parts. Réservez.

2 Faites chauffer le reste d'huile dans le wok et faites-y sauter l'ail, le gingembre, le piment, les feuilles de kaffir et l'oignon jusqu'à ce que l'oignon soit tendre et que les épices embaument.

3 Ajoutez les champignons et la carotte ; continuez la cuisson jusqu'à ce que la carotte soit tendre. Remettez le poulet dans le wok, ajoutez les sauces et le bouillon ; laissez mijoter jusqu'à ce que la sauce ait légèrement épaissi. Retirez le wok du feu, incorporez les germes de soja et le basilic.

Par portion lipides 18,2 g ; 346 kcal

Manchons de poulet caramélisés

Pour 4 personnes

PRÉPARATION 10 MINUTES
CUISSON 25 MINUTES

12 ailes de poulet
60 ml de sauce barbecue
60 ml de sauce aux prunes
1 c. s. de sauce Worcestershire

1 Préchauffez le four à 220-230 °C.

2 Coupez les ailes de poulet en trois au niveau de l'articulation et jetez la pointe.

3 Mélangez les sauces dans un grand saladier. Ajoutez les morceaux de poulet et retournez-les plusieurs fois pour bien les enrober de marinade. Placez les manchons en une seule couche dans un grand plat à rôtir huilé. Enfournez et laissez cuire environ 25 minutes à découvert, jusqu'à ce que la viande soit cuite à cœur.

Par portion lipides 8,5 g ; 288 kcal

Poulet thaï en croûte de cacahuète

Pour 4 personnes

PRÉPARATION 10 MINUTES
CUISSON 20 MINUTES

150 g de cacahuètes nature grillées
75 g de pâte de curry rouge
1 c. s. de kecap manis (sauce de soja sucrée)
125 ml de lait de coco
1 bouquet de coriandre fraîche grossièrement ciselé
500 g de blanc de poulet
1 concombre
160 g de germes de soja
quelques feuilles de menthe fraîche grossièrement ciselées
1 oignon rouge moyen coupé en deux et émincé
1 c. c. de nuoc-mâm
2 c. s. de sauce au piment douce
1 c. s. de jus de citron vert
1 c. s. d'huile d'arachide

1 Préchauffez le four à 200-210 °C.

2 Mélangez, au robot ou mixeur, les cacahuètes, le curry, le kecap manis, le lait de coco et la moitié de la coriandre.

3 Posez les blancs de poulet sur la plaque de four légèrement huilée, en une seule couche. Recouvrez chacun d'eux de mélange aux cacahuètes. Enfournez et laissez rôtir environ 20 minutes à découvert, jusqu'à ce que le poulet soit cuit à cœur. Sortez le plat du four et laissez reposer 5 minutes avant de découper les blancs en tranches épaisses.

4 Pendant que le poulet cuit, coupez le concombre en deux dans la longueur, épépinez-le et émincez-le finement. Mettez-le dans un grand saladier, ajoutez les germes de soja, l'oignon, la menthe et le reste de coriandre. Versez le nuoc-mâm, la sauce au piment, le jus de citron et l'huile dans un bocal pourvu d'un couvercle, fermez et secouez vigoureusement. Arrosez la salade de cet assaisonnement et mélangez. Servez-la en accompagnement du poulet.

Pratique Laisser reposer le poulet 10 minutes dans le plat avant de le découper ; il restera moelleux et gardera tout son jus.

Par portion lipides 40 g ; 585 kcal

Poulet thaï
en coupelle de laitue

Pour 4 personnes

PRÉPARATION 20 MINUTES

8 grandes feuilles de laitue pommée
1 c. s. de kecap manis (sauce de soja sucrée)
1 c. s. d'huile de sésame
1 c. s. de jus de citron vert
1 grosse courgette râpée
1 carotte moyenne râpée
2 oignons verts émincés
1 poivron rouge moyen émincé
400 g de poulet cuit émincé
1 c. s. de menthe fraîche ciselée
2 c. s. de coriandre fraîche grossièrement ciselée
2 c. s. de sauce au piment douce

1 Coupez le bord des feuilles de laitue aux ciseaux. Plongez les feuilles dans un grand saladier d'eau glacée. Réservez au réfrigérateur.

2 Mélangez le kecap manis, l'huile et le jus de citron dans un grand saladier. Ajoutez la courgette, la carotte, l'oignon vert, le poivron, le poulet, la menthe et la moitié de la coriandre ; mélangez délicatement.

3 Essuyez les feuilles de laitue et répartissez-les entre les assiettes de service. Garnissez-les de salade au poulet, arrosez d'un filet de sauce au piment mélangée avec le reste de coriandre.

Par portion lipides 13,7 g ; 260 kcal

Poulet grillé aux cinq-épices

Pour 4 personnes

PRÉPARATION 15 MINUTES
CUISSON 10 MINUTES

**750 g de blanc de poulet
1 c. c. d'huile d'arachide
1 c. c. de cinq-épices en poudre
2 gousses d'ail pilées
300 g de mini-épis de maïs
500 g d'asperges
1 poivron rouge moyen émincé
quelques feuilles de persil plat
ciselées**

1 Mélangez l'huile, les cinq-épices et l'ail dans un saladier de taille moyenne. Enrobez le poulet de cette marinade.

2 Faites cuire les blancs de poulet sur un gril en fonte huilé et préchauffé, sous le gril du four ou au barbecue, jusqu'à ce qu'ils soient cuits à cœur et dorés.

3 Pendant que les blancs de poulet cuisent, coupez les épis de maïs en deux. Cassez l'extrémité ligneuse des asperges, puis détaillez-les en tronçons de la même longueur que les épis de maïs.

4 Huilez légèrement et préchauffez un wok pour y faire sauter le maïs, les asperges et le poivron jusqu'à ce qu'ils soient tendres mais légèrement croquants.

5 Retirez le wok du feu, parsemez les légumes de persil puis répartissez-les entre les assiettes de service ; ajoutez le poulet et servez.

Par portion lipides 16,1 g ; 392 kcal

Brochettes de poulet au sel et au poivre

Pour 4 personnes

PRÉPARATION 10 MINUTES
CUISSON 15 MINUTES

**800 g de chair de cuisses
de poulet détaillée en gros cubes
1 c. c. de grains de poivre
du Sichuan pilés
1/2 c. c. de cinq-épices
en poudre
2 c. c. de sel de Guérande
1 c. c. d'huile de sésame
600 g de mini-bok choy
coupés en quatre
1 c. s. de sauce d'huîtres
1 c. c. de sauce de soja claire
1 c. s. de coriandre fraîche
ciselée**

1 Enfilez les cubes de poulet sur 12 brochettes. Mélangez le poivre, les cinq-épices et le sel dans un petit saladier. Pressez le poulet dans ce mélange pour qu'il s'incruste dans la chair.

2 Faites cuire les brochettes sur un gril en fonte huilé et préchauffé, sous le gril du four ou au barbecue, jusqu'à ce que le poulet soit cuit à cœur et doré de toutes parts. Réservez au chaud.

3 Mélangez la sauce d'huîtres et la sauce de soja claire. Faites chauffer l'huile dans un wok ou une grande poêle, versez les deux sauces mélangées et faites-y sauter le bok choy ; il doit être juste amolli.

4 Répartissez le bok choy entre les assiettes de service et posez les brochettes dessus. Parsemez le poulet de coriandre. Un riz blanc cuit à la vapeur sera une garniture idéale pour ce plat.

Par portion lipides 15,8 g ; 308 kcal

Salade de poulet au pesto

Pour 4 personnes

PRÉPARATION 5 MINUTES • CUISSON 15 MINUTES • REPOS 5 MINUTES

90 g de pesto au basilic
2 c. s. de vinaigre balsamique
500 g de blanc de poulet
6 tomates olivettes coupées en deux
125 g de feuilles de roquette
1 c. s. d'huile d'olive

1 Mélangez le pesto et le vinaigre dans un petit saladier.

2 Placez le poulet et les tomates sur une grande plaque et badigeonnez-les de pesto au vinaigre.

3 Faites cuire les tomates sur un gril en fonte huilé et préchauffé, sous le gril du four ou au barbecue, jusqu'à ce qu'elles soient juste tendres ; réservez. Faites cuire les blancs de poulet sur le gril, jusqu'à ce qu'ils soient cuits à cœur et dorés des deux côtés. Laissez-les reposer 5 minutes puis découpez-les en tranches épaisses.

4 Transférez les tomates et le poulet dans un grand saladier, ajoutez la roquette, arrosez d'un filet d'huile d'olive et mélangez délicatement.

Pratique Vous pouvez remplacer la roquette par du mesclun. Au moment de servir, parsemez la salade de copeaux de parmesan.

Par portion lipides 7,8 g ; 209 kcal

Poulet sauté aux champignons

Pour 4 personnes

PRÉPARATION 15 MINUTES
CUISSON 10 MINUTES

600 g de nouilles hokkien
1 c. s. d'huile d'arachide
750 g de blancs de poulet
coupés en deux
200 g de champignons de Paris
coupés en deux
200 g de champignons de Paris
(bruns de préférence) émincés
3 oignons verts émincés
2 c. s. de sauce au piment
douce
125 ml de sauce d'huîtres

1 Rincez les nouilles à l'eau chaude, dans une passoire. Séparez-les à la fourchette et égouttez-les.

2 Faites chauffer la moitié de l'huile dans un wok ou une grande poêle et faites-y sauter le poulet jusqu'à ce qu'il soit doré de toutes parts. Procédez en plusieurs fois. Réservez.

3 Faites chauffer le reste d'huile et faites-y dorer tous les champignons, en plusieurs tournées. Remettez le poulet dans le wok, ajoutez les nouilles, les champignons, l'oignon et les deux sauces ; laissez réchauffer le tout en remuant.

Par portion lipides 16,5 g ; 560 kcal

Poulet au persil et au citron

Pour 4 personnes

PRÉPARATION 15 MINUTES
CUISSON 15 MINUTES

8 cuisses de poulet désossées
50 g de farine
1 c. s. d'huile d'olive
20 g de beurre
1 bouquet de persil plat frais
grossièrement ciselé
2 c. s. de jus de citron

Polenta

750 ml d'eau chaude
250 ml de bouillon de volaille
170 g de polenta précuite
20 g de beurre
40 g de parmesan râpé

1 Préparez la polenta.

2 Pendant la cuisson de la polenta, farinez le poulet. Faites chauffer l'huile et le beurre dans une grande poêle et faites-y cuire le poulet : il doit être doré des deux côtés. Parsemez-le de persil, arrosez-le du jus de citron et retournez-le pour bien l'en enrober.

3 Servez le poulet accompagné de polenta.

Polenta Versez l'eau et le bouillon dans une grande casserole, portez à ébullition puis baissez le feu ; maintenez un léger frémissement. Versez la polenta en pluie fine et laissez-la cuire environ 5 minutes à découvert, en remuant à plusieurs reprises ; la polenta doit être épaisse et moelleuse. Incorporez le beurre et le parmesan.

Par portion lipides 35,3 g ; 698 kcal

Poulet à la moutarde et aux tomates séchées

Pour 4 personnes

PRÉPARATION 10 MINUTES • CUISSON 15 MINUTES

30 g de beurre
1 gousse d'ail pilée
4 blancs de poulet
180 ml de bouillon de volaille
1 c. s. de moutarde à l'ancienne
35 g de tomates séchées, égouttées et finement hachées
4 oignons verts émincés

1 Faites chauffer le beurre dans une grande poêle et faites-y fondre l'ail 1 minute, en remuant. Faites cuire le poulet des deux côtés jusqu'à ce qu'il soit doré et cuit à cœur. Réservez.

2 Versez le bouillon dans la poêle et portez-le à ébullition. Réduisez le feu et laissez frémir 5 minutes, à découvert. Incorporez la moutarde et la tomate séchée, puis l'oignon.

3 Avant de le servir, coupez le poulet en lamelles épaisses et nappez-le de sauce.

Par portion lipides 10,7 g ; 276 kcal

Poulet sauté aux brocolis chinois

Pour 4 personnes

PRÉPARATION 10 MINUTES
CUISSON 15 MINUTES

350 g de nouilles hokkien
1 c. s. d'huile d'arachide
750 g de blancs de poulet
coupés en deux
1 gros oignon jaune
détaillé en tranches épaisses
3 gousses d'ail pilées
1 kg de brocolis chinois
grossièrement émincés
80 ml de sauce d'huîtres
1 c. s. de sauce de soja claire

1 Rincez les nouilles à l'eau chaude dans une passoire. Séparez-les à la fourchette et égouttez-les.

2 Faites chauffer la moitié de l'huile dans un wok ou une grande poêle et faites-y sauter le poulet, en plusieurs tournées, jusqu'à ce qu'il soit cuit à cœur et doré de toutes parts. Réservez.

3 Faites chauffer le reste d'huile dans le wok et faites-y fondre l'ail et l'oignon.

4 Remettez le poulet dans le wok, ajoutez le brocoli et les deux sauces. Poursuivez la cuisson jusqu'à ce que le brocoli soit tendre.

5 Mélangez délicatement les nouilles avec le poulet et le brocoli avant de servir.

Pratique Vous pouvez remplacer les nouilles hokkien par des nouilles fraîches de votre choix.

Par portion lipides 32,9 g ; 809 kcal

Poulet sauté à l'ail et bok choy

Pour 4 personnes

PRÉPARATION 15 MINUTES
CUISSON 10 MINUTES

750 g de blanc de poulet émincé
75 g de farine
2 c. s. d'huile d'arachide
6 gousses d'ail pilées
1 poivron rouge moyen émincé
6 oignons verts émincés
125 ml de bouillon de volaille
2 c. s. de sauce de soja claire
500 g de bok choy grossièrement émincé

1 Farinez le poulet puis secouez-le pour faire tomber l'excédent de farine.

2 Faites chauffer l'huile dans un wok ou une grande poêle ; faites-y sauter le poulet jusqu'à ce qu'il soit cuit à cœur et doré de toutes parts. Réservez.

3 Faites sauter l'ail, le poivron et l'oignon dans le wok jusqu'à ce que le poivron soit tendre.

4 Remettez le poulet dans le wok, ajoutez le bouillon et la sauce de soja. Continuez la cuisson jusqu'au point d'ébullition ; la sauce doit légèrement épaissir. Ajoutez le bok choy et laissez-le cuire jusqu'à ce qu'il soit tendre.

Garniture Pour accompagner agréablement ce plat, préparez du riz blanc cuit à la vapeur ou des nouilles frites croustillantes.

Par portion lipides 20,4 g ; 440 kcal

Manchons de poulet satay

Pour 4 personnes

PRÉPARATION 5 MINUTES • CUISSON 30 MINUTES

1 kg de manchons de poulet
60 ml de kecap manis (sauce de soja sucrée)
400 g de riz au jasmin
210 g de beurre de cacahuète
160 ml de bouillon de volaille
2 c. s. de sauce au piment douce
1 c. s. de sauce de soja claire
1 c. s. de jus de citron
250 ml de lait de coco

1 Préchauffez le four à 220-230 °C.

2 Disposez les manchons de poulet en une seule couche dans un grand plat huilé et badigeonnez-les de kecap manis. Faites-les rôtir 25 minutes à découvert, jusqu'à ce qu'ils soient bien cuits.

3 Pendant ce temps, faites cuire le riz dans un grand volume d'eau bouillante, à découvert, jusqu'à ce qu'il soit tendre. Égouttez-le et couvrez-le pour qu'il reste chaud.

4 Mélangez le beurre de cacahuète, le bouillon, les deux sauces, le jus de citron et le lait de coco dans une casserole et portez à ébullition. Réduisez le feu et laissez frémir 5 minutes à découvert.

5 Servez le riz et les manchons nappés de sauce satay.

Par portion lipides 47,1 g ; 993 kcal

Curry vert thaï

Pour 4 personnes

PRÉPARATION 10 MINUTES
CUISSON 15 MINUTES

**1 gros oignon jaune
grossièrement émincé
2 gousses d'ail pilées
20 g de gingembre frais râpé
1 c. s. de citronnelle fraîche
ciselée
2 c. s. de pâte de curry verte
500 g de blanc de poulet
détaillé en lamelles épaisses
1 c. s. d'huile d'arachide
180 ml de bouillon de volaille
400 ml de lait de coco
2 c. s. de jus de citron vert
230 g de pousses de bambou
émincées en conserve,
égouttées
300 g de mini-épis de maïs frais,
coupés en deux
1 poignée de coriandre fraîche
grossièrement ciselée**

1   Mélangez l'oignon, l'ail, le gingembre, la citronnelle et la pâte de curry dans un saladier. Ajoutez le poulet et enrobez-le de marinade. Faites chauffer l'huile dans un wok ou une grande poêle et faites-y légèrement dorer le poulet. Procédez en plusieurs fois.

2   Remettez tout le poulet dans le wok avec le bouillon, le lait de coco et le jus de citron. Laissez cuire environ 5 minutes à découvert, jusqu'à ce que la sauce ait légèrement épaissi et que le poulet soit cuit à cœur.

3   Réduisez le feu. Ajoutez les pousses de bambou, les épis de maïs et la coriandre. Faites sauter jusqu'à ce que les légumes soient chauds.

Garniture Un riz long grain blanc cuit à la vapeur est une garniture idéale pour ce curry.

Par portion lipides 37 g ; 554 kcal

Poulet à l'indienne

Pour 4 personnes

PRÉPARATION 5 MINUTES
CUISSON 25 MINUTES

80 g de beurre
1 oignon jaune moyen émincé
3 gousses d'ail pilées
3 c. c. de paprika doux
2 c. c. de garam masala
2 c. c. de coriandre en poudre
1/2 c. c. de piment en poudre
1 bâton de cannelle
2 c. s. de vinaigre blanc
425 g de coulis de tomates
en conserve
180 ml de bouillon de volaille
1 c. s. de concentré de tomates
750 g de cuisses de poulet
désossées coupées en quatre
250 ml de crème fraîche
140 g de yaourt

1 Faites fondre le beurre dans une sauteuse et faites-y fondre l'oignon et l'ail ; ajoutez le paprika, le garam masala, la coriandre, le piment et la cannelle.

2 Versez le vinaigre, le bouillon, le coulis et le concentré de tomates ; portez à ébullition. Réduisez le feu et laissez frémir 10 minutes à découvert, en remuant de temps à autre.

3 Ajoutez le poulet, la crème et le yaourt et portez à ébullition. Réduisez le feu et laissez frémir environ 10 minutes à découvert, jusqu'à ce que le poulet soit cuit à cœur. Retirez le tuyau de cannelle avant de servir.

Pratique Le murgh makhani, grand classique de la cuisine indienne, est un plat incontournable dans tout grand banquet. Il marie délicieusement la saveur du poulet et le parfum d'une sauce au beurre et à la tomate riche et onctueuse. En Inde, ce plat est souvent préparé à partir de restes de poulet tandoori, mais on peut aussi utiliser des blancs de poulet.

Garniture Servez ce poulet accompagné de raïta de concombre, de riz basmati cuit à l'eau ou à la vapeur et de naans tièdes.

Par portion lipides 59,2 g ; 747 kcal

Salade de poulet à l'haloumi et au pain pide

Pour 4 personnes

PRÉPARATION 10 MINUTES • CUISSON 15 MINUTES

300 g d'antipasti de légumes
500 g de blanc de poulet détaillé en lamelles
2 c. s. de pignons de pin
1/2 pain pide long
250 g d'haloumi
200 g de feuilles de roquette
170 g de cœurs d'artichaut marinés,
égouttés et coupés en quatre
250 g de tomates cerises
60 ml de vinaigre balsamique

1 Égouttez les légumes marinés au-dessus d'un petit saladier. Réservez 80 ml de leur huile (si la quantité est insuffisante, complétez avec de l'huile d'olive). Émincez finement les légumes.

2 Faites chauffer 1 cuillerée à soupe de l'huile réservée dans un wok ou une grande poêle et faites-y sauter le poulet jusqu'à ce qu'il soit cuit à cœur et doré de toutes parts. Réservez au chaud. Faites légèrement dorer les pignons dans le wok et réservez-les.

3 Coupez le pain en tranches de 1 cm d'épaisseur et faites-les griller des deux côtés. Coupez l'haloumi en 16 tranches. Faites chauffer dans le wok 1 cuillerée à soupe de l'huile réservée et faites-y dorer l'haloumi des deux côtés. Procédez en plusieurs fois.

4 Mettez les légumes marinés, le poulet, le pain et l'haloumi dans un grand saladier ; ajoutez la roquette, les cœurs d'artichaut et les tomates. Mélangez le reste de l'huile réservée et le vinaigre ; arrosez la salade de cet assaisonnement et parsemez-la de pignons de pin.

Pratique L'haloumi est un fromage salé à pâte cuite ; vous le trouverez dans les épiceries fines et dans certains supermarchés.

Par portion lipides 47,8 g ; 798 kcal

Poulet au parmesan

Pour 4 personnes

PRÉPARATION 15 MINUTES
CUISSON 15 MINUTES

**1 c. s. de farine
2 œufs légèrement battus
140 g de chapelure rassise
25 g de parmesan
grossièrement râpé
2 c. s. de persil plat frais ciselé
900 g de blanc de poulet
1 petit bouquet de basilic frais
125 ml d'huile d'olive
60 ml de jus de citron
1 gousse d'ail coupée en quatre
120 g d'olives noires
de Kalamata dénoyautées
200 g de frisée
40 g de feuilles de roquette**

1 Préchauffez le four à 220-230 °C.

2 Mélangez la farine et les œufs dans un saladier. Mélangez dans un autre saladier la chapelure, le parmesan et le persil. Passez les blancs de poulet, un par un, dans l'œuf battu puis la chapelure. Disposez-les sur une plaque de four huilée, en une seule couche. Faites-les rôtir 15 minutes, à découvert, jusqu'à ce qu'ils soient cuits à cœur et bien dorés.

3 Pendant ce temps, mélangez au robot ou au mixeur le basilic, l'huile, le jus de citron et l'ail.

4 Servez le poulet accompagné des olives, de la frisée et de la roquette ; versez l'assaisonnement dessus.

Par portion lipides 47,3 g ; 794 kcal

Poulet grillé à la coriandre et au piment

Pour 4 personnes

PRÉPARATION 10 MINUTES
CUISSON 15 MINUTES

750 g de cuisses de poulet désossées coupées en deux

Sauce pimentée à la coriandre
8 oignons verts grossièrement émincés
3 gousses d'ail coupées en quatre
3 petits piments rouges frais, épépinés et grossièrement émincés
quelques feuilles de coriandre fraîche
1 c. c. de sucre
1 c. s. de nuoc-mâm
60 ml de jus de citron vert

Salade de pois chiches
600 g de pois chiches en conserve, rincés et égouttés
2 tomates olivettes grossièrement concassées
2 oignons verts émincés
2 c. s. de jus de citron vert
1 bouquet de coriandre fraîche ciselée
1 c. s. d'huile d'olive

1 Faites cuire les cuisses de poulet sur un gril en fonte huilé et préchauffé, sous le gril du four ou au barbecue, jusqu'à ce qu'elles soient quasiment cuites. Badigeonnez-les des deux tiers de la sauce pimentée et continuez la cuisson 5 minutes pour qu'elles soient cuites à cœur.

2 Servez le poulet arrosé du reste de sauce pimentée et accompagné de la salade de pois chiches.

Sauce pimentée à la coriandre Hachez finement au robot ou au mixeur l'oignon, l'ail, le piment et la coriandre avec le sucre. Ajoutez le nuoc-mâm et le jus de citron et mixez jusqu'à obtention d'une sauce homogène.

Salade de pois chiches Mélangez délicatement tous les ingrédients dans un grand saladier.

Par portion lipides 19,3 g ; 398 kcal

Poulet au vin rouge et à la sauce tomate

Pour 4 personnes

PRÉPARATION 10 MINUTES • CUISSON 20 MINUTES

30 g de beurre
2 c. s. d'huile d'olive
2 oignons blancs moyens émincés
2 gousses d'ail pilées
750 de cuisses de poulet désossées, coupées en deux
250 g de champignons de Paris émincés
820 g de tomates en conserve
60 ml de concentré de tomates
60 ml de vin rouge
2 c. c. de sucre roux
1 c. c. de poivre noir concassé
125 ml de bouillon de volaille
quelques feuilles de basilic frais ciselées

1 Faites chauffer le beurre et l'huile dans une sauteuse et faites-y fondre l'oignon avec l'ail, en remuant. Ajoutez le poulet et faites-le sauter jusqu'à ce qu'il soit cuit à cœur.

2 Incorporez les champignons, les tomates concassées et leur jus, le concentré de tomates, le vin, le sucre, le poivre et le bouillon.

3 Portez à ébullition puis réduisez le feu et laissez frémir à découvert jusqu'à ce que la sauce ait légèrement épaissi. Retirez la sauteuse du feu et parsemez de basilic ciselé avant de servir.

Pratique Ce plat peut être préparé la veille et conservé au réfrigérateur.

Par portion lipides 29,6 g ; 498 kcal

Poulet à la chermoula

Pour 4 personnes

PRÉPARATION 10 MINUTES
CUISSON 20 MINUTES

**700 g de cuisses de poulet
sans la peau et émincées
1 petit bouquet de persil plat
ciselé
1 c. s. de zeste de citron râpé
1 c. s. de jus de citron
2 c. c. de curcuma en poudre
1 c. c. de poivre de Cayenne
1 c. s. de coriandre en poudre
1 oignon rouge moyen émincé
2 c. s. d'huile d'olive
200 g de lentilles rouges
625 ml de bouillon de volaille
200 g de pousses d'épinards
1/2 tasse de coriandre fraîche
grossièrement ciselée
1/2 tasse de menthe fraîche
grossièrement ciselée
1 c. s. de vinaigre de vin rouge
95 g de yaourt**

1 Mélangez dans un grand saladier le poulet, le persil, le zeste et le jus de citron, le curcuma, le poivre de Cayenne, la coriandre, l'oignon et 1 cuillerée à soupe d'huile d'olive. Faites chauffer un wok légèrement huilé et faites-y sauter le poulet jusqu'à ce qu'il soit doré et cuit à cœur.

2 Versez le bouillon dans une grande casserole, ajoutez les lentilles et portez à ébullition. Réduisez le feu et laissez frémir environ 8 minutes à découvert, jusqu'à ce que les lentilles soient tendres. Égouttez. Transférez les lentilles dans un grand saladier, ajoutez les pousses d'épinards, la coriandre et la menthe. Arrosez du vinaigre préalablement mélangé avec le reste d'huile et remuez délicatement le tout.

3 Servez le poulet sur un lit de lentilles, nappé de yaourt.

Pratique La chermoula est un mélange d'herbes et d'épices utilisé traditionnellement pour conserver ou aromatiser la viande et le poisson. Dans cette recette, nous en enrobons simplement le poulet mais elle est excellente aussi en sauce ou en marinade.

Par portion lipides 24,9 g ; 524 kcal

Tacos au poulet

Pour 4 personnes

PRÉPARATION 10 MINUTES
CUISSON 10 MINUTES

800 g blancs de poulet
2 c. c. de mélange d'épices
mexicain
1 paquet de 280 g de tortillas
de maïs
2 grosses tomates
1 poivron jaune moyen
1 avocat moyen
1 petit oignon rouge
1 c. s. de jus de citron vert
1 c. s. de coriandre fraîche
ciselée

1 Saupoudrez d'épices les blancs de poulet et faites-les cuire sur un gril en fonte huilé et préchauffé, sous le gril du four ou au barbecue, jusqu'à ce qu'ils soient dorés des deux côtés et juste cuits. Émincez-les.

2 Pendant que le poulet cuit, faites chauffer les tortillas en respectant les instructions portées sur l'emballage. Épépinez les tomates et concassez-les. Émincez finement le poivron, l'avocat et l'oignon ; transférez le tout dans un saladier, ajoutez le jus de citron et la coriandre.

3 Servez le poulet et la salsa enroulés dans les tortillas.

Par portion lipides 28,2 g ; 548 kcal

Tartine à l'italienne

Coupez un pain pide long en deux, horizontalement. Tartinez la base de pesto, posez des légumes grillés marinés bien égouttés, des feuilles de basilic et du cheddar. Posez l'autre moitié du pain dessus, découpez en quatre et faites-les griller au four ou dans un appareil à croque-monsieur ; le fromage doit être fondu.

Pizza à la pomme de terre et au romarin

Couvrez une base de pizza prête à l'emploi de parmesan râpé puis d fines tranches de pommes de terre nouvelles ; parsemez de romar frais et d'ail finement émincé et arrosez d'un filet d'huile d'olive. Fait cuire à four chaud (220-230 °C) jusqu'à ce que la garniture soit dore et la pâte croustillante.

Bruschette au chèvre et à l'ail

Coupez une miche de ciabatta (ou de pain de campagne) en tranches de 1 cm d'épaisseur. Badigeonnez une face d'huile d'olive additionnée d'ail pilé. Faites dorer le pain des deux côtés. Posez sur la face huilée du fromage de chèvre, de l'oignon rouge émincé et des feuilles de roquette, donnez un tour de moulin à poivre (utilisez du poivre noir). Arrosez d'un filet d'huile d'olive.

Tartes à la tomate, à la courgette et au fromage

Coupez une feuille de pâte feuilletée prête à l'emploi en carrés pu posez-les sur la plaque du four légèrement graissée. Repliez le bo de la pâte pour former un rebord de 1 cm. Parsemez de parmes râpé, posez dessus des tomates cerises coupées en deux et de fin lamelles de mini-courgette et parsemez à nouveau de parmesa Faites cuire à four très chaud (240 °C) environ 12 minutes, jusqu'à que la pâte ait gonflé et doré.

Chips de parmesan au piment

Mélangez du parmesan râpé, du piment en poudre et de la coriandre fraîche ciselée. Déposez des cuillerées de ce mélange sur des plaques à pâtisserie légèrement huilées. Enfournez et faites cuire 5 minutes à 200-210 °C, jusqu'à ce que les chips soient dorées. Attendez 2 minutes et faites-les refroidir sur une grille.

Pop-corn au piment

Faites éclater les grains de pop-corn dans une grande casserole avec un peu d'huile, à couvert, puis transférez-les dans un saladier. Faites fondre du beurre dans une petite casserole, ajoutez du poivre de Cayenne, du paprika et du sel. Versez sur le pop-corn et mélangez.

Pommes de terre sautées au sumac

Coupez les pommes de terre en quartiers. Mélangez-les avec de l'huile d'olive et du sumac dans un grand plat allant au micro-ondes. Enfournez et faites cuire en position de cuisson maxi ; la pomme de terre doit rester ferme. Disposez les quartiers sur une plaque légèrement graissée et faites cuire au four traditionnel à 240-250 °C, jusqu'à ce qu'ils soient croustillants. Salez.

Rouleaux de printemps au poulet

Mélangez du poulet cuit émincé, de la carotte râpée, du poivron émincé, des pousses d'épinards, de la coriandre fraîche ciselée et de la sauce au piment douce. Humectez une galette de riz, posez une partie de la garniture au centre et repliez la galette. Répétez l'opération avec le reste de garniture et les autres galettes de riz.

Les viandes

Grillée ou en sauté, intégrée à une salade ou une farce,
la viande peut se cuisiner de mille et une manières.
La diversité des découpes dans le bœuf, le veau, l'agneau
et le porc offre un champ de création culinaire quasiment
illimité et la rapidité de la cuisson permet de passer
moins de temps en cuisine.

Bœuf sauté au chou chinois

Pour 4 personnes

PRÉPARATION 20 MINUTES • CUISSON 15 MINUTES

60 ml d'huile d'arachide
280 g de chou chinois grossièrement émincé
2 gousses d'ail pilées
750 g de rumsteck émincé
1 gros oignon rouge émincé
2 gousses d'ail pilées
5 g de gingembre frais râpé
1 c. c. de cinq-épices
250 g de champignons shiitake émincés
1 gros poivron rouge émincé
125 ml de sauce hoisin
1 c. s. de sauce de soja
1 c. s. de vinaigre de riz

1   Faites chauffer 1 cuillerée à soupe d'huile dans un wok ou une grande poêle et faites-y sauter l'ail et le chou jusqu'à ce que celui-ci soit juste flétri. Transférez dans le plat de service et couvrez.

2   Faites chauffer 1 autre cuillerée à soupe d'huile dans le wok et faites-y dorer le bœuf de toutes parts. Procédez en plusieurs fois. Réservez.

3   Faites chauffer le reste d'huile dans le wok et faites-y revenir l'oignon, l'ail, le gingembre, le cinq-épices, les champignons et le poivron.

4   Remettez ensuite le bœuf dans le wok. Ajoutez les deux sauces mélangées et le vinaigre ; poursuivez la cuisson jusqu'à ce que tous les ingrédients soient chauds. Servez le bœuf sauté sur un lit de chou.

Par portion lipides 24,7 g ; 496 kcal

Bœuf satay et légumes sautés

Pour 4 personnes

PRÉPARATION 20 MINUTES
CUISSON 20 MINUTES

1 c. c. d'huile d'arachide
500 g de bœuf (gîte à la noix, rumsteck) émincé
1 gros oignon jaune émincé
1 gousse d'ail pilée
10 g de gingembre frais râpé
2 petits piments rouges frais épépinés et émincés
1 poivron rouge moyen grossièrement émincé
1 poivron vert moyen grossièrement émincé
100 g de champignons de Paris coupés en deux
225 g de pousses de bambou en conserve, égouttées
1 c. c. de curry en poudre
2 c. c. de Maïzena
125 ml de bouillon de volaille
70 g de beurre de cacahuètes
2 c. s. de sauce d'huîtres
1 c. s. de cacahuètes grillées non salées et grossièrement concassées

1 Faites chauffer l'huile dans un wok ou une grande poêle et faites-y dorer le bœuf de toutes parts. Procédez en plusieurs fois. Réservez.

2 Dans le wok réchauffé, faites fondre l'oignon et l'ail. Ajoutez le gingembre, les piments, les poivrons, les champignons, les pousses de bambou et le curry et faites sauter jusqu'à ce que les légumes soient tendres.

3 Dans un petit pichet, délayez la Maïzena dans le bouillon, versez-le dans le wok et mélangez avec les légumes. Remettez le bœuf dans le wok, ajoutez le beurre de cacahuètes et la sauce d'huîtres. Portez à ébullition et remuez jusqu'à ce que la sauce ait légèrement épaissi et que le bœuf soit cuit à votre goût. Incorporez les cacahuètes grillées avant de servir.

Pratique Vous pouvez remplacer le bœuf par du filet d'agneau ou du blanc de poulet.

Par portion lipides 15,8 g ; 331 kcal

Veau au persil et aux câpres

Pour 4 personnes

PRÉPARATION 5 MINUTES
CUISSON 15 MINUTES

2 c. s. d'huile d'olive
8 escalopes de veau de 100 g
2 gousses d'ail pilées
125 ml de vin blanc sec
125 ml de bouillon de bœuf
2 c. s. de persil plat frais
grossièrement ciselé
50 g de câpres
grossièrement émincées

1 Faites chauffer l'huile dans un wok ou une grande poêle et faites-y revenir le veau à feu vif, en plusieurs tournées, jusqu'à ce qu'il soit doré des deux côtés et cuit à cœur. Réservez-le au chaud. Faites sauter l'ail dans le wok, jusqu'à ce qu'il embaume.

2 Ajoutez le vin blanc, portez à ébullition puis versez le bouillon. Réduisez le feu, laissez frémir 2 minutes à découvert, incorporez le persil et les câpres. Découpez le veau.

3 Servez le veau nappé de sauce. Vous pouvez l'accompagner de polenta ou d'une purée de pommes de terre maison.

Pratique Cette recette se prépare au dernier moment. Les câpres sont conservées dans la saumure ou dans le sel : passez-les rapidement sous l'eau avant de les utiliser.

Par portion lipides 14,3 g ; 328 kcal

Steaks grillés et salsa de maïs au poivron rouge

Pour 4 personnes

PRÉPARATION 15 MINUTES • CUISSON 15 MINUTES

12 petites pommes nouvelles coupées en deux
4 steaks dans le rumsteck de 250 g

Salsa de maïs au poivron rouge
1 gros poivron rouge émincé
1 petit oignon rouge émincé
1 petit piment rouge frais épépiné et émincé
6 oignons verts émincés
60 ml de jus de citron vert
2 c. s. de menthe fraîche ciselée
125 g de maïs en conserve

1 Faites cuire les pommes de terre à l'eau ou au micro-ondes jusqu'à ce qu'elles soient tendres. Égouttez-les.

2 Pendant que les pommes de terre cuisent, préparez la salsa de maïs et poivron rouge.

3 Faites cuire les steaks sur un gril en fonte huilé et préchauffé, sous le gril du four ou au barbecue, et retournez-les pour qu'ils soient dorés des deux côtés. Servez-les accompagnés de la salsa.

Salsa de maïs au poivron rouge Mélangez tous les ingrédients dans un saladier.

Pratique La salsa peut être préparée plusieurs heures à l'avance et réservée au réfrigérateur.

Par portion lipides 13,4 g ; 465 kcal

Salade de bœuf thaïe

Pour 4 personnes

PRÉPARATION 15 MINUTES
CUISSON 15 MINUTES
REPOS 5 MINUTES

500 g de filet de bœuf
3 concombres moyens pelés
et émincés
4 petits piments rouges frais
épépinés et émincés
3 oignons verts émincés
quelques feuilles
de menthe fraîche
quelques feuilles
de coriandre fraîche

Sauce à la citronnelle
1 gousse d'ail pilée
2 c. c. de citronnelle ciselée
2 c. c. de racine de coriandre
fraîche émincée
1 c. s. de jus de citron vert
2 c. s. de sauce de soja claire
1/2 c. c. de nuoc-mâm
2 c. c. de sucre roux

1 Faites cuire le bœuf sur un gril en fonte huilé et préchauffé, sous le gril du four ou au barbecue, jusqu'à ce qu'il soit doré de toutes parts et cuit à votre goût. Laissez-le reposer 5 minutes et émincez-le finement.

2 Mettez le bœuf, le concombre, le piment, l'oignon, la menthe, la coriandre et la sauce à la citronnelle dans un grand saladier ; mélangez délicatement.

Sauce à la citronnelle Mélangez tous les ingrédients dans un petit saladier.

Pratique Si vous manquez de temps, remplacez le filet de bœuf par du rosbif cuit. En Thaïlande, cette salade s'accompagne de vermicelles de riz croustillants.

Par portion lipides 6,3 g ; 189 kcal

Bœuf teriyaki

Pour 4 personnes

PRÉPARATION 10 MINUTES
REPOS 5 MINUTES
CUISSON 20 MINUTES

**125 ml de mirin
(vin de riz doux)
80 ml de sauce de soja claire
55 g de sucre roux
1 c. s. de saké (alcool de riz)
20 g de gingembre frais râpé
1 gousse d'ail pilée
1 c. c. d'huile de sésame
1 c. s. de graines de sésame
750 g de filet de bœuf émincé
300 g mini-épis de maïs
coupés en deux
2 oignons verts émincés**

1 Mélangez dans un grand saladier le mirin, la sauce de soja, le sucre, le saké, le gingembre, l'ail, l'huile et les graines de sésame. Ajoutez le bœuf et les épis de maïs et retournez-les pour bien les enrober du mélange au mirin. Laissez reposer 5 minutes.

2 Égouttez le bœuf et réservez la marinade dans une casserole.

3 Faites revenir le bœuf et les épis de maïs sur un gril en fonte huilé et préchauffé, sous le gril du four ou au barbecue, jusqu'à ce qu'ils soient dorés de toutes parts et cuits à votre goût.

4 Portez la marinade à ébullition puis réduisez le feu et laissez frémir 5 minutes à découvert.

5 Servez le bœuf et les épis de maïs nappés de marinade chaude et parsemés d'oignon vert émincé.

Pratique Le porc, le poulet et même le poisson peuvent être préparés de cette façon. Au Japon, le teriyaki est un plat de viande grillée très populaire. Il est très facile à préparer chez soi ; il est accompagné ici d'épis de maïs, que vous pouvez remplacer par des lamelles de poivron rouge grillé ou des pois gourmands.

Garniture Accompagnez ce plat de nouilles sautées ou cuites à l'eau.

Par portion lipides 12,7 g ; 435 kcal

Côtelettes de veau au beurre d'anchois

Pour 4 personnes

PRÉPARATION 10 MINUTES • CUISSON 20 MINUTES

90 g de beurre ramolli
4 filets d'anchois égouttés et hachés
2 c. c. de jus de citron
1 c. s. d'aneth grossièrement ciselé
200 g de haricots verts
200 g de haricots beurre
375 ml de bouillon de volaille
500 ml de lait
170 g de polenta
25 g de parmesan grossièrement râpé
8 côtes de veau de 150 g

1 Mélangez le beurre, les filets d'anchois hachés, le jus de citron et l'aneth dans un petit saladier.

2 Faites cuire les haricots à l'eau ou à la vapeur, jusqu'à ce qu'ils soient tendres. Égouttez-les.

3 Pendant que les haricots cuisent, commencez à préparer la polenta. Mélangez le bouillon et le lait dans une grande casserole et portez à ébullition. Versez la polenta en pluie fine et remuez jusqu'à ce qu'elle ait épaissi. Incorporez le parmesan et continuez à remuer jusqu'à ce qu'il ait fondu. Couvrez la polenta pour qu'elle reste chaude pendant que vous faites cuire la viande.

4 Faites revenir les côtes de veau sur un gril en fonte huilé et préchauffé, sous le gril du four ou au barbecue, jusqu'à ce qu'elles soient dorées des deux côtés et cuites à votre goût. Procédez en plusieurs fois et réservez.

5 Servez les côtes de veau agrémentées de beurre d'anchois et accompagnées de polenta et de haricots.

Pratique Poulet, poisson, bœuf ou agneau conviennent également pour cette recette.

Par portion lipides 31,8 g ; 663 kcal

Salade de bœuf chaude au piment

Pour 4 personnes

PRÉPARATION 15 MINUTES
CUISSON 15 MINUTES

**2 c. s. d'huile d'arachide
750 g de filet de bœuf émincé
1 oignon blanc moyen émincé
2 petits piments rouges frais
épépinés et émincés
3 gousses d'ail pilées
2 c. s. de sauce de soja claire
1 c. c. de nuoc-mâm
1 c. s. de sauce au piment
douce
2 c. s. de jus de citron vert
250 g de tomates cerises
coupées en deux
210 g de chou chinois émincé
quelques feuilles de menthe
fraîche
1 concombre moyen épépiné
et émincé
80 g de germes de soja**

1 Faites chauffer la moitié de l'huile dans un wok ou une grande poêle et faites-y dorer le bœuf de toutes parts. Réservez.

2 Faites chauffer le reste d'huile dans le wok et faites-y fondre l'oignon avec l'ail et le piment.

3 Remettez le bœuf dans le wok avec la sauce de soja, le nuoc-mâm, la sauce au piment douce, le jus de citron, les tomates et le chou. Faites sauter jusqu'à ce que le chou soit juste tendre.

4 Transférez le tout dans un grand saladier. Incorporez la menthe, le concombre et les germes de soja et servez aussitôt.

Pratique Les ingrédients de cette salade sont juste chauffés dans le wok mais ils doivent rester croquants. Enveloppez le bœuf de film alimentaire et mettez-le au congélateur 1 heure avant de l'utiliser : il sera plus facile à découper.

Garniture Accompagnez cette salade de sambal oelek, une purée de piments indonésienne très forte.

Par portion lipides 18,7 g ; 372 kcal

Bœuf donburi

Pour 4 personnes

PRÉPARATION 15 MINUTES
CUISSON 10 MINUTES

**200 g de riz koshihikari
(riz japonais)
500 g de rumsteck émincé
1 gousse d'ail pilée
5 g de gingembre frais râpé
125 ml de sauce de soja claire
125 ml de mirin
(vin de riz doux)
1 c. s. d'huile d'arachide
6 oignons verts émincés**

1 Faites cuire le riz dans un grand volume d'eau bouillante, à découvert, jusqu'à ce qu'il soit tendre. Égouttez-le.

2 Pendant que le riz cuit, mélangez dans un saladier le bœuf, l'ail et le gingembre avec la moitié de la sauce de soja et la moitié du mirin.

3 Faites chauffer l'huile dans une grande poêle et faites-y dorer le bœuf de toutes parts. Procédez en plusieurs fois. Remettez tout le bœuf dans la poêle avec le reste de sauce de soja et de mirin ; portez à ébullition.

4 Répartissez le riz puis le bœuf au gingembre entre quatre bols, parsemez d'oignon vert avant de servir.

Pratique Vous pouvez remplacer le bœuf par du blanc de poulet ; dans ce cas, émincez un gros oignon jaune et ajoutez-le au poulet avant la cuisson. Le riz koshihikari est une variété japonaise (épiceries asiatiques) que vous pouvez remplacer par du riz blanc grain moyen.

Par portion lipides 10,6 g ; 429 kcal

Steaks aux olives et aux tomates séchées

Pour 4 personnes

PRÉPARATION 15 MINUTES • CUISSON 20 MINUTES

1 c. c. de poivre noir concassé
4 steaks dans le faux-filet de 200 g
1 c. s. d'huile d'olive
1 oignon rouge moyen émincé
3 gousses d'ail pilées
80 ml de cognac
410 g de tomates concassées en conserve
75 g de tomates séchées égouttées et émincées
40 g d'olives noires dénoyautées émincées
1 c. c. de sucre en poudre
2 c. s. de basilic frais ciselé

1 Pressez les steaks dans le poivre, sur les deux faces. Faites chauffer l'huile dans une grande poêle et faites-y revenir les steaks jusqu'à ce qu'ils soient dorés des deux côtés et cuits à votre goût. Réservez.

2 Faites fondre l'oignon dans la poêle avec l'ail ; ajoutez le cognac.

3 Incorporez la tomate concassée et son jus, les tomates séchées, les olives et le sucre. Portez à ébullition puis réduisez le feu et laissez frémir 2 minutes à découvert. Servez les steaks nappés de sauce et parsemés de basilic.

Pratique Cette recette se prépare au dernier moment.

Garniture Vous pouvez accompagner ce plat de pommes de terre sautées en rondelles et de salade verte.

Par portion lipides 18,2 g ; 450 kcal

Curry de bœuf aux cacahuètes

Pour 4 personnes

PRÉPARATION 20 MINUTES
CUISSON 15 MINUTES

1 c. s. d'huile végétale
750 g de filet de bœuf émincé
310 ml de lait de coco
75 g de cacahuètes grillées
1 c. s. de sucre roux
1 c. s. de Maïzena
80 ml de jus de citron vert
250 g de pois gourmands

Pâte de curry
2 c. s. d'huile végétale
5 gousses d'ail pilées
20 g de gingembre frais râpé
4 oignons verts
grossièrement émincés
1 c. s. de citronnelle
grossièrement émincée
1 c. s. d'éclats de piment séché
1 c. c. de cumin en poudre
1 c. s. de coriandre en poudre
1 c. c. de pâte de crevettes
250 ml de lait de coco

1 Faites chauffer l'huile dans un wok ou une grande poêle et faites-y dorer le bœuf de toutes parts, en plusieurs tournées.

2 Mettez tout le bœuf dans le wok ; ajoutez le lait de coco, les cacahuètes, le sucre et la pâte de curry et portez à ébullition. Réduisez le feu et laissez frémir environ 10 minutes à découvert, jusqu'à ce que le bœuf soit tendre.

3 Délayez la Maïzena dans le jus de citron, versez-la dans le wok et portez à ébullition. Réduisez le feu et laissez frémir jusqu'à ce que la sauce ait épaissi.

4 Ajoutez les pois gourmands et mélangez délicatement.

Pâte de curry Faites chauffer l'huile dans une poêle et faites-y revenir l'ail, le gingembre, l'oignon, la citronnelle, le piment, le cumin, la coriandre et la pâte de crevettes jusqu'à ce que le mélange embaume. Passez-le au robot ou au mixeur avec le lait de coco jusqu'à obtention d'une pâte lisse.

Pratique La pâte de curry est plus facile à mixer si l'on y incorpore du lait de coco, mais n'en mettez pas si vous souhaitez la conserver au réfrigérateur (jusqu'à 4 mois dans un récipient fermé hermétiquement) ou la congeler. Ce curry très relevé allie le parfum des épices indiennes et le mélange typiquement thaï des saveurs de coco et d'agrumes.

Garniture Un bol de yaourt à la menthe et du riz jasmin ou des pommes de terre compléteront idéalement ce curry.

Par portion lipides 60,5 g ; 804 kcal

Escalopes de veau aux champignons et sauce moutarde à la crème

Pour 4 personnes

PRÉPARATION 5 MINUTES
CUISSON 20 MINUTES

1 c. s. d'huile d'olive
8 escalopes de veau de 100 g
10 g de beurre
1 gousse d'ail pilée
150 g de champignons de Paris
grossièrement émincés
80 ml de vin blanc sec
1 c. s. de moutarde à l'ancienne
125 ml de crème fraîche
60 ml de bouillon de volaille
1 c. c. de feuilles de thym frais

1 Faites chauffer l'huile dans un wok ou une grande poêle et faites-y revenir le veau jusqu'à ce qu'il soit doré des deux côtés et cuit à votre goût. Procédez en plusieurs fois et réservez au chaud.

2 Faites fondre le beurre dans le wok ; faites cuire les champignons avec l'ail, en remuant, jusqu'à ce que les champignons soient juste attendris. Ajoutez le vin et la moutarde et remuez encore 2 minutes. Incorporez la crème fraîche et le bouillon ; portez à ébullition. Réduisez le feu et laissez frémir environ 5 minutes, à couvert, jusqu'à ce que la sauce ait épaissi. Ajoutez le thym.

3 Répartissez le veau entre les assiettes de service et nappez de sauce. Servez avec des pâtes fraîches.

Par portion lipides 24,4 g ; 385 kcal

Bœuf sauté au gingembre

Pour 4 personnes

PRÉPARATION 20 MINUTES • CUISSON 10 MINUTES

30 g de gingembre frais
2 c. s. d'huile d'arachide
600 g de rumsteck émincé
2 gousses d'ail pilées
120 g de haricots verts coupés en tronçons de 5 cm
8 oignons verts émincés
2 c. c. de sucre de palme râpé ou de sucre roux
2 c. c. de sauce d'huîtres
1 c. s. de nuoc-mâm
1 c. s. de sauce de soja
quelques feuilles de basilic frais

1 Coupez le gingembre en tranches très minces, superposez-les et détaillez-les en fine julienne.

2 Faites chauffer la moitié de l'huile dans un wok et faites-y dorer le bœuf de toutes parts. Réservez.

3 Faites chauffer le reste de l'huile dans le wok et faites-y sauter le gingembre et l'ail jusqu'à ce qu'ils embaument. Ajoutez les haricots et faites-les sauter jusqu'à ce qu'ils soient tendres mais légèrement croquants.

4 Remettez le bœuf dans le wok avec l'oignon, le sucre, la sauce d'huîtres, le nuoc-mâm et la sauce de soja ; faites sauter jusqu'à ce que le sucre soit dissous et le bœuf cuit à votre goût. Retirez le wok du feu et incorporez les feuilles de basilic.

Par portion lipides 19,8 g ; 367 kcal

Curry rouge de bœuf

Pour 4 personnes

PRÉPARATION 10 MINUTES
CUISSON 20 MINUTES

2 c. s. d'huile d'arachide
500 g d'aiguillette de bœuf
détaillée en cubes de 2 cm
1 gros oignon jaune émincé
75 g de pâte de curry rouge
1 gros poivron rouge émincé
150 g de haricots verts
coupés en deux
400 ml de lait de coco
425 g de tomates concassées
en conserve
quelques feuilles de coriandre
fraîche ciselée

1 Faites chauffer la moitié de l'huile dans un wok ou une grande poêle et faites-y dorer le bœuf de toutes parts, en plusieurs tournées. Réservez.

2 Faites chauffer le reste d'huile dans le wok et faites-y fondre l'oignon. Ajoutez la pâte de curry et remuez jusqu'à ce qu'elle embaume. Ajoutez le poivron et les haricots et faites-les sauter jusqu'à ce qu'ils soient juste attendris.

3 Remettez le bœuf dans le wok ; ajoutez le lait de coco, la tomate et la coriandre et continuez la cuisson jusqu'à ce que la sauce ait légèrement épaissi.

Par portion lipides 41,9 g ; 571 kcal

Côtelettes de veau grillées à la tomate, aux câpres et au basilic

Pour 6 personnes

PRÉPARATION 15 MINUTES
CUISSON 15 MINUTES

**6 mini-aubergines coupées
en deux dans la longueur
6 petites courgettes coupées
en deux dans la longueur
80 ml d'huile d'olive
12 côtelettes de veau de 150 g
2 tomates olivettes épépinées
et concassées
1/2 petit oignon rouge émincé
1 gousse d'ail pilée
2 c. s. de petites câpres,
rincées et égouttées
1 c. s. de vinaigre balsamique
quelques feuilles de basilic**

1 Badigeonnez les aubergines et les courgettes avec la moitié de l'huile et faites-les griller sur un gril en fonte huilé et préchauffé, sous le gril du four ou au barbecue, jusqu'à ce qu'elles soient tendres et bien dorées. Mettez-les sur un plat et réservez au chaud.

2 Faites cuire les côtelettes sur le gril huilé et préchauffé jusqu'à ce qu'elles soient dorées des deux côtés et cuites à votre goût. Transférez-les sur un plat et laissez-les reposer 10 minutes.

3 Pendant ce temps, mélangez la tomate, l'oignon, l'ail, les câpres, le vinaigre et le reste d'huile dans un petit saladier.

4 Répartissez les aubergines et les courgettes entre les assiettes de service, déposez les côtelettes et la tomate dessus. Parsemez de basilic ciselé.

Pratique Pour gagner du temps, utilisez des antipasti d'aubergines et de courgettes au lieu de légumes frais.

Par portion lipides 18,1 g ; 402 kcal

Côtelettes d'agneau à la sauce aux agrumes

Pour 4 personnes

PRÉPARATION 10 MINUTES • CUISSON 20 MINUTES

2 c. s. d'huile d'olive
8 côtelettes d'agneau de 75 g

Sauce douce aux agrumes
1 c. s. de zeste d'orange râpé
80 ml de jus d'orange
2 c. s. de jus de citron
125 ml de gelée de groseille
1 c. s. de vinaigre de vin rouge

1 Faites chauffer l'huile dans une grande poêle et faites-y cuire l'agneau à votre goût ; il doit être doré des deux côtés.

2 Servez les côtelettes avec la sauce, accompagnées par exemple de purée de pommes de terre et de roquette.

Sauce douce aux agrumes Mélangez le zeste d'orange, les jus de fruits, la gelée de groseille et le vinaigre dans une casserole ; faites chauffer en remuant jusqu'à ce que la gelée ait fondu. Portez à ébullition, puis réduisez le feu et laissez frémir, à découvert, jusqu'à ce que la sauce ait légèrement épaissi.

Pratique Préparez la sauce la veille et conservez-la au frais.

Par portion lipides 21,9 g ; 373 kcal

Salade chaude d'agneau aux tomates séchées

Pour 4 personnes

PRÉPARATION 20 MINUTES
CUISSON 15 MINUTES

**500 g de filet d'agneau
1 gousse d'ail pilée
60 ml de vinaigre balsamique
80 ml d'huile d'olive
50 g de tomates séchées,
égouttées et coupées
en lamelles
15 g de beurre
250 g d'asperges
grossièrement émincées
1 poivron rouge moyen
grossièrement émincé
150 g de champignons de Paris
coupés en quatre
80 g de feuilles de roquette**

1 Faites cuire l'agneau dans une grande poêle antiadhésive préchauffée jusqu'à ce qu'il soit doré et cuit à votre goût. Découpez-le en tranches fines. Mettez-les dans un grand saladier et ajoutez l'ail, le vinaigre, l'huile et la tomate.

2 Faites chauffer le beurre dans une sauteuse et faites-y cuire les asperges, le poivron et les champignons, jusqu'à ce que les asperges soient tendres. Mélangez délicatement les légumes et l'agneau. Servez sans attendre.

Pratique Cette salade doit être préparée au dernier moment.

Par portion lipides 27,2 g ; 405 kcal

Côtelettes d'agneau
et salade de haricots blancs

Pour 4 personnes

PRÉPARATION 10 MINUTES
CUISSON 10 MINUTES

12 côtelettes d'agneau de 70 g
600 g de haricots blancs
en conserve, rincés et égouttés
3 grosses tomates olivettes
épépinées et concassées
2 mini-concombres épépinés
et détaillés en petits dés
1 petit oignon rouge émincé
60 ml de jus de citron
1 c. s. de moutarde à l'ancienne
80 ml d'huile d'olive
2 c. s. de persil plat frais
grossièrement ciselé

1 Faites cuire les côtelettes sur un gril en fonte huilé et préchauffé, sous le gril du four ou au barbecue, jusqu'à ce qu'elles soient dorées des deux côtés et cuites à votre goût.

2 Mélangez délicatement tous les autres ingrédients dans un saladier. Servez les côtelettes accompagnées de cette salade.

Par portion lipides 36,1 g ; 492 kcal

Côtelettes grillées à la coréenne

Pour 4 personnes

PRÉPARATION 15 MINUTES • CUISSON 5 MINUTES

125 ml de sauce de soja claire
250 ml de mirin (vin de riz doux)
2 oignons verts émincés
2 gousses d'ail pilées
20 g de gingembre frais râpé
1 c. s. de sucre roux
1 c. s. de poivre noir concassé
1 c. s. de farine
1 kg de côtelettes d'agneau parées

1 Mélangez la sauce de soja, le mirin, l'oignon vert, l'ail, le gingembre, le sucre, le poivre et la farine dans un grand saladier. Ajoutez les côtelettes et retournez-les dans la marinade pour bien les en enrober.

2 Égouttez les côtelettes et faites-les griller sur un gril en fonte huilé et préchauffé, sous le gril du four ou au barbecue, jusqu'à ce qu'elles soient dorées des deux côtés et cuites à votre goût. Badigeonnez-les de marinade à plusieurs reprises pendant la cuisson.

Pratique Cette recette est une adaptation du célèbre bulgogi coréen, des tranches de bœuf marinées dans des épices et cuites sur la braise. On peut cuisiner de cette manière toutes sortes de viandes, dont le poulet, le porc et l'agneau. Vous pouvez préparer la viande la veille et la laisser mariner au réfrigérateur pour permettre aux arômes de se développer.

Garniture Accompagnez ces côtelettes de riz jasmin cuit à la vapeur, de bok choy, de haricots verts ou de pois gourmands.

Par portion lipides 11,7 g ; 328 kcal

Agneau à la balinaise

Pour 4 personnes

PRÉPARATION 15 MINUTES
CUISSON 15 MINUTES

**5 petits piments rouges frais
épépinés
et grossièrement émincés
1/2 c. c. de pâte de crevettes
2 oignons jaunes moyens
grossièrement émincés
3 gousses d'ail
coupées en quatre
50 g de gingembre
grossièrement émincé
2 c. s. de noix de coco
déshydratée, grillée
1 c. s. d'huile d'arachide
1 kg de filet d'agneau émincé
1 c. s. de sucre de palme râpé
1 c. s. de kecap manis
(sauce de soja sucrée)
1 c. s. de sauce de soja brune
1 c. s. de jus de citron vert**

1 Passez au robot ou au mixeur le piment, la pâte de crevettes, l'oignon, l'ail, le gingembre et la noix de coco, jusqu'à obtention d'une pâte lisse.
2 Faites chauffer l'huile dans un wok ou une grande poêle et faites-y dorer l'agneau de toutes parts. Procédez en plusieurs fois et réservez. Faites chauffer la pâte épicée dans le wok, en remuant, jusqu'à ce qu'elle embaume.
3 Remettez l'agneau dans le wok. Ajoutez le sucre, le kecap manis, la sauce de soja et le jus de citron et faites réchauffer le tout.

Pratique Vous pouvez remplacer le sucre de palme par du sucre roux.

Garniture Servez cette recette avec du riz jasmin et des pois gourmands sautés.

Par portion lipides 15,8 g ; 394 kcal

Brochettes d'agneau à la turque

Pour 4 personnes

PRÉPARATION 15 MINUTES •
CUISSON 15 MINUTES

**1 kg de selle d'agneau désossée
et coupée en cubes de 2 cm
280 g de yaourt
2 c. s. de jus de citron
2 gousses d'ail pilées
2 c. c. de thym frais ciselé
40 g de mesclun**

Sauce tomate au piment
**1 c. s. d'huile d'olive
1 petit oignon jaune
grossièrement émincé
1 gousse d'ail pilée
2 piments verts longs frais
épépinés
et grossièrement émincés
2 tomates moyennes
grossièrement émincées
1 c. s. de concentré de tomates
80 ml de vin rouge**

1 Enfilez les cubes d'agneau sur 8 brochettes. Mélangez le yaourt, le jus de citron, l'ail et le thym dans un petit saladier. Transférez deux tiers de ce mélange dans deux bols et réservez. Badigeonnez les brochettes avec le reste.

2 Faites cuire les brochettes sur un gril en fonte huilé et préchauffé, sous le gril du four ou au barbecue, jusqu'à ce qu'elles soient dorées de toutes parts et cuites à cœur.

3 Servez les brochettes avec le reste de yaourt aromatisé, la sauce tomate pimentée et le mesclun.

Sauce tomate au piment Faites chauffer l'huile dans une poêle et faites-y fondre l'oignon avec l'ail, en remuant. Ajoutez les autres ingrédients et portez à ébullition. Réduisez le feu et laissez frémir environ 5 minutes, à découvert, jusqu'à ce que la sauce ait légèrement épaissi. Mixez jusqu'à obtention d'une sauce lisse.

Pratique Vous pouvez aussi utiliser du gigot d'agneau désossé et détaillé en cubes.

Garniture Accompagnez ces brochettes de pain pide chaud.

Par portion lipides 25,2 g ; 506 kcal

Sandwich à l'agneau et au tzatziki

Pour 4 personnes

PRÉPARATION 20 MINUTES • CUISSON 10 MINUTES

500 g de viande d'agneau hachée
1 petit oignon jaune émincé
1 carotte moyenne grossièrement râpée
1 œuf légèrement battu
2 c. s. de persil plat frais ciselé
2 gousses d'ail pilées
1 c. c. de zeste de citron râpé
1/2 c. c. de feuilles d'origan séché
140 g de yaourt
1 mini-concombre épépiné et émincé
1 c. s. de menthe fraîche ciselée
1 pain pide long
feuilles de romaine émincées
400 g de mini-betteraves en conserve, égouttées
et coupées en quatre

1 Mélangez intimement l'agneau, l'oignon, la carotte, l'œuf, le persil, la moitié de l'ail, le zeste de citron et l'origan dans un grand saladier. Formez 8 galettes.

2 Faites-les griller sur un gril en fonte huilé et préchauffé, sous le gril du four ou au barbecue, jusqu'à ce qu'elles soient dorées des deux côtés et cuites à votre goût.

3 Pendant ce temps, préparez le tzatziki en mélangeant dans un petit saladier le yaourt, le reste d'ail, le concombre et la menthe. Coupez le pain en quatre et chacun des morceaux en deux par le milieu. Faites légèrement griller les tranches de pain côté mie.

4 Répartissez la romaine, les galettes de viande, le tzatziki et la betterave sur quatre tranches de pain et posez les autres dessus.

Par portion lipides 14,9 g ; 296 kcal

Agneau sauté à la sauge

Pour 4 personnes

PRÉPARATION 15 MINUTES
CUISSON 15 MINUTES

500 g de filet d'agneau émincé
1 gousse d'ail pilée
1/4 c. c. de piment séché pilé
2 c. s. de vinaigre balsamique
2 c. s. d'huile d'olive
1 poivron jaune moyen émincé
1 oignon rouge moyen émincé
410 g de tomates concassées
en conserve
75 g d'olives vertes
farcies au piment
2 c. s. de sauge fraîche ciselée

1 Mélangez l'agneau émincé, l'ail, le piment et le vinaigre dans un saladier.

2 Faites chauffer la moitié de l'huile dans un wok ou une grande poêle et faites-y revenir l'agneau de toutes parts, sans l'égoutter auparavant. Procédez en plusieurs fois. Réservez.

3 Faites chauffer le reste d'huile dans le wok et faites-y sauter le poivron et l'oignon.

4 Remettez l'agneau dans le wok, ajoutez les tomates concassées et leur jus, les olives et la sauge ; remuez pour réchauffer le tout.

Par portion lipides 15,4 g ; 289 kcal

Couscous d'agneau à la marocaine

Pour 4 personnes

PRÉPARATION 15 MINUTES
CUISSON 15 MINUTES
REPOS 5 MINUTES

700 g de filet d'agneau
1 c. s. de cumin en poudre
1 c. s. de coriandre en poudre
1 c. c. de cannelle en poudre
200 g de yaourt
300 g de semoule
375 ml d'eau bouillante
1 c. c. d'huile d'arachide
50 g de raisins de Corinthe
2 c. c. de zeste de citron râpé
2 c. c. de jus de citron
quelques feuilles de coriandre
grossièrement ciselée

1 Mélangez l'agneau, les épices et 90 g de yaourt dans un saladier.

2 Faites griller l'agneau sur un gril en fonte huilé et préchauffé, sous le gril du four ou au barbecue, jusqu'à ce qu'il soit doré et cuit à votre goût. Couvrez-le, laissez-le reposer 5 minutes, puis coupez-le en tranches fines.

3 Versez l'eau et l'huile dans un récipient résistant à la chaleur. Ajoutez la semoule, couvrez et laissez reposer 5 minutes, jusqu'à absorption du liquide. Aérez la semoule à la fourchette à plusieurs reprises. Incorporez les raisins de Corinthe, le zeste et le jus de citron, la coriandre et mélangez à la fourchette.

4 Servez l'agneau sur un lit de couscous, nappé du reste de yaourt.

Pratique Vous pouvez remplacer le zeste et le jus de citron par du citron confit émincé. L'agneau sera plus savoureux si vous le faites mariner toute une nuit au réfrigérateur. Accompagnez-le de harissa (purée de piment).

Par portion lipides 9,3 g ; 525 kcal

Agneau sauté à l'ail et légumes au miel

Pour 4 personnes

PRÉPARATION 15 MINUTES • CUISSON 20 MINUTES

2 c. s. d'huile d'arachide
400 g de filet d'agneau émincé
1 gousse d'ail pilée
3 mini-aubergines émincées
1 oignon blanc moyen émincé
1 carotte moyenne émincée
1 poivron rouge moyen émincé
425 g de mini-épis de maïs en conserve, égouttés
100 g de pois gourmands
1 c. s. de miel
1 c. s. de Maïzena
2 c. s. de sauce d'huîtres
1 c. s. de sauce de soja

1 Faites chauffer la moitié de l'huile dans un wok ou une grande poêle et faites-y sauter l'ail et l'agneau jusqu'à ce que celui-ci soit doré. Réservez.

2 Faites chauffer le reste d'huile dans le wok et faites-y sauter l'aubergine et l'oignon, puis ajoutez la carotte et le poivron. Ajoutez enfin les épis de maïs et les pois gourmands.

3 Remettez l'agneau dans le wok avec le miel et la Maïzena délayée dans les sauces. Remuez jusqu'à ce que l'appareil bouillonne et épaississe légèrement.

Par portion lipides 13,7 g ; 352 kcal

Agneau tandoori

Pour 4 personnes

PRÉPARATION 10 MINUTES
CUISSON 20 MINUTES

**700 g de filet d'agneau
1 c. s. de pâte tandoori
400 g de yaourt
1 mini-concombre épépiné
et émincé
2 oignons verts émincés
1/2 c. c. de cumin en poudre
1 c. c. de cardamome
en poudre
400 g de riz basmati
1 pincée de stigmates de safran**

1 Mélangez la pâte tandoori et la moitié du yaourt dans un grand saladier, ajoutez l'agneau et enrobez-le de ce mélange. Mettez le reste de yaourt, le concombre, l'oignon, la moitié du cumin et de la cardamome dans un petit saladier, remuez le tout.

2 Faites cuire le riz avec le safran dans un grand volume d'eau, à découvert, jusqu'à ce que le riz soit tendre. Égouttez-le et transférez-le dans un grand saladier.

3 Faites griller à sec le reste des épices dans une petite poêle, jusqu'à ce qu'elles embaument.

4 Faites griller l'agneau, sans l'égoutter, sur un gril en fonte huilé et préchauffé, sous le gril du four ou au barbecue, jusqu'à ce qu'il soit doré et cuit à votre goût.

5 Servez l'agneau sur un lit de riz au safran, nappé de raïta.

Pratique Vous pouvez faire mariner l'agneau toute la nuit. Vous pouvez également préparer le raïta plusieurs heures à l'avance et le conserver au réfrigérateur.

Garniture Servez ce plat avec un sambal de tomate fraîche et d'oignon. Le sambal est une spécialité du sud de l'Inde, à mi-chemin entre la salade et le condiment, que l'on sert chaud ou froid, mais qui est toujours piquant et épicé.

Par portion lipides 12 g ; 659 kcal

Rouleaux à l'agneau et au taboulé

Pour 8 rouleaux

PRÉPARATION 35 MINUTES
CUISSON 10 MINUTES

250 ml d'eau
80 g de boulgour
300 g de pois chiches
en conserve, rincés et égouttés
95 g de yaourt
1 c. c. de zeste de citron râpé
2 c. s. de jus de citron
3 oignons verts émincés
2 tomates moyennes épépinées
et concassées
1 mini-concombre épépiné
et émincé
1 bouquet de persil plat frais
grossièrement ciselé
quelques feuilles de menthe
grossièrement ciselées
300 g de filet d'agneau
2 c. s. de sumac
8 galettes de pain lavash

1 Mettez le boulgour dans un petit saladier, versez l'eau dessus et laissez reposer 30 minutes. Égouttez et pressez le boulgour entre vos mains pour éliminer le reste d'eau.

2 Préparez le houmous : passez les pois chiches au robot ou au mixeur avec le yaourt, le zeste de citron et 1 cuillerée à soupe de jus de citron, jusqu'à obtention d'une purée lisse.

3 Préparez le taboulé : mettez dans un grand saladier le boulgour, l'oignon, la tomate, le concombre, le persil, la menthe et le reste de jus de citron ; mélangez délicatement.

4 Enrobez l'agneau de sumac et faites-le griller sur un gril en fonte huilé et préchauffé, sous le gril du four ou au barbecue, jusqu'à ce qu'il soit doré des deux côtés et cuit à votre goût. Émincez-le.

5 Au moment de servir, répartissez le houmous, l'agneau et le taboulé sur les galettes de pain puis roulez ces dernières autour de la garniture. Servez les rouleaux entiers ou coupés en morceaux.

Pratique Le sumac est une épice moulue de couleur pourpre, qui comporte une note acide prononcée et parfume à peu près tous les aliments, poisson, viande ou légumes. On le trouve dans les épiceries spécialisées dans les produits du Moyen-Orient.

Par portion lipides 3,8 g ; 297 kcal

Rouleaux de printemps

Pour 4 personnes

PRÉPARATION 30 MINUTES • CUISSON 10 MINUTES

350 g de viande de porc hachée
1 gousse d'ail pilée
5 g de gingembre frais râpé
1 c. c. de cinq-épices
350 g de chou chinois émincé
4 oignons verts émincés
1 c. s. de sauce de soja
60 ml de sauce d'huîtres
quelques feuilles de coriandre grossièrement ciselées
12 galettes de riz de 18 cm de diamètre
60 ml de sauce au piment douce
2 c. s. de jus de citron vert

1 Faites sauter le porc, l'ail, le gingembre et le cinq-épices dans une grande poêle antiadhésive, en remuant, jusqu'à ce que le porc soit cuit à cœur.

2 Ajoutez le chou, l'oignon, la sauce de soja et la sauce d'huîtres ainsi que 2 cuillerées à soupe de coriandre et continuez la cuisson, en remuant, jusqu'à ce que le chou soit juste attendri.

3 Trempez une galette de riz dans un saladier d'eau tiède, le temps de l'assouplir. Sortez-la délicatement du saladier, posez-la sur une planche et séchez-la avec du papier absorbant. Posez un douzième de la garniture au centre de la galette, repliez les côtés et enroulez. Répétez l'opération avec les autres galettes.

4 Posez les rouleaux, sur une seule couche, dans un grand panier vapeur et faites-les cuire 5 minutes à couvert ; ils doivent être juste réchauffés. Mélangez le reste de coriandre, la sauce au piment douce et le jus de citron et servez cette sauce avec les rouleaux.

Pratique Trempées rapidement dans l'eau tiède ou juste humectées, les galettes de riz vietnamiennes permettent d'envelopper les garnitures les plus variées (en vente dans les épiceries asiatiques ou dans certaines grandes surfaces). Vous pouvez préparer ces rouleaux la veille et les conserver au réfrigérateur, enroulées individuellement dans du film alimentaire.

Par portion lipides 7,1 g ; 249 kcal

Porc laqué au miel et au soja

Pour 4 personnes

PRÉPARATION 10 MINUTES
CUISSON 30 MINUTES

700 g de filet de porc
750 g de patates douces
coupées en petits morceaux
1 c. s. de moutarde à l'ancienne
2 c. s. de miel
1 c. s. de sauce de soja
4 oignons verts émincés

1 Préchauffez le four à 240-250 °C.

2 Placez le porc et les patates douces dans un plat à rôtir huilé.

3 Mélangez la moutarde, le miel et la sauce de soja. Versez cette préparation dans le plat et retournez plusieurs fois le porc et les patates douces dedans, pour bien les en enrober.

4 Enfournez et laissez cuire environ 30 minutes, à découvert, jusqu'à ce que le tout soit cuit à cœur.

5 Coupez le porc en tranches. Servez avec les patates douces, parsemez d'oignon vert ciselé et arrosez du jus de cuisson. Accompagnez ce plat de pois gourmands.

Pratique Pour obtenir une saveur plus relevée, badigeonnez le porc avec la moitié de la moutarde et laissez mariner une nuit au réfrigérateur.

Par portion lipides 3 g ; 332 kcal

Porc sauté aux brocolinis

Pour 4 personnes

PRÉPARATION 15 MINUTES
CUISSON 20 MINUTES

2 c. s. d'huile d'arachide
450 g de filet de porc émincé
1 oignon rouge moyen émincé
1 gousse d'ail pilée
5 g de gingembre frais râpé
1 poivron rouge moyen émincé
300 g de brocolinis
1 c. c. de Maïzena
2 c. s. de jus de citron
60 ml d'eau
60 ml de sauce au piment
douce
1 c. c. de nuoc-mâm
1 c. s. de sauce de soja
1 c. c. d'huile de sésame
1 c. s. de coriandre fraîche
grossièrement ciselée
1 c. s. de menthe fraîche
grossièrement ciselée

1 Faites chauffer la moitié de l'huile d'arachide dans un wok ou une grande poêle et faites-y revenir le porc, en plusieurs tournées, jusqu'à ce qu'il soit doré de toutes parts. Réservez.

2 Faites chauffer le reste d'huile dans le wok et faites-y sauter l'oignon, l'ail, le gingembre et le poivron jusqu'à ce que celui-ci soit juste tendre.

3 Coupez les brocolinis en deux. Délayez la Maïzena dans le jus de citron. Ajoutez l'eau, la sauce au piment douce, le nuoc-mâm, la sauce de soja et l'huile de sésame ; mélangez bien.

4 Remettez la viande dans le wok, ajoutez les brocolinis et la sauce. Faites sauter environ 2 minutes, jusqu'à ce que la sauce bouillonne ; elle doit épaissir légèrement. Retirez le wok du feu et incorporez la coriandre et la menthe avant de servir.

Par portion lipides 15 g ; 295 kcal

Porc grillé et fettuccine à la sauge

Pour 4 personnes

PRÉPARATION 15 MINUTES • CUISSON 15 MINUTES

1 c. s. d'huile d'olive
100 g de jambon découpé en lamelles
2 c. s. de feuilles de sauge fraîche
8 escalopes de porc (très fines)
250 ml de vin blanc sec
1 c. s. de sucre roux
250 g de fettuccine
150 g de feuilles d'épinards
1 petit oignon rouge émincé
2 c. s. de ciboulette fraîche ciselée
1 c. s. d'huile d'olive

1 Faites chauffer la moitié de l'huile d'olive dans un wok ou une grande poêle et faites-y légèrement dorer le jambon. Couvrez et réservez.

2 Mettez la sauge dans le même récipient et laissez-la chauffer jusqu'à ce qu'elle soit juste flétrie. Couvrez et réservez.

3 Faites chauffer le reste d'huile dans le wok et faites-y revenir le porc jusqu'à ce qu'il soit doré des deux côtés et cuit à cœur. Couvrez et réservez.

4 Mélangez le vin et le sucre dans le wok ; faites bouillonner cette sauce, à découvert, jusqu'à ce qu'elle ait réduit d'un tiers.

5 Pendant ce temps, faites cuire les pâtes dans un grand volume d'eau bouillante salée. Égouttez-les et réservez 120 ml du liquide de cuisson.

6 Transférez les pâtes dans un grand saladier ; ajoutez le liquide de cuisson réservé, les épinards, l'oignon, la ciboulette et l'huile d'olive ; mélangez délicatement le tout. Ajoutez le porc, le jambon et la sauge et arrosez de sauce.

Par portion lipides 16 g ; 610 kcal

Porc sauté aux nouilles de riz

Pour 4 personnes

PRÉPARATION 10 MINUTES
CUISSON 10 MINUTES

**375 g de nouilles de riz sèches
2 c. s. d'huile végétale
2 œufs légèrement battus
400 g de viande de porc
et de veau hachée
2 petits piments rouges frais
épépinés et émincés
2 gousses d'ail pilées
5 g de gingembre frais râpé
1 1/2 c. s. de nuoc-mâm
1 1/2 c. s. de jus de citron vert
80 ml de kecap manis
(sauce de soja sucrée)
6 oignons verts émincés
80 g de germes de soja
quelques feuilles de coriandre
ciselées
2 c. s. de cacahuètes grillées
grossièrement concassées**

1 Faites cuire les nouilles dans un grand volume d'eau bouillante environ 2 minutes, jusqu'à ce qu'elles soient tendres. Égouttez-les.

2 Faites chauffer 2 cuillerées à café d'huile dans un wok ou une grande poêle, versez-y les œufs battus et faites-les cuire en omelette fine. Retirez celle-ci du wok, roulez-la et émincez-la.

3 Faites chauffer le reste d'huile dans le wok et faites-y revenir la viande, en plusieurs tournées, jusqu'à ce qu'elle soit dorée. Réservez.

4 Faites sauter le piment, l'ail et le gingembre dans le wok, jusqu'à ce qu'ils embaument.

5 Ajoutez le nuoc-mâm, le jus de citron, le kecap manis, les nouilles, la viande, l'oignon et les germes de soja ; continuez la cuisson jusqu'à ce que les nouilles soient bien chaudes. Incorporez la coriandre et l'omelette ; mélangez délicatement le tout. Parsemez de cacahuètes grillées au moment de servir.

Par portion lipides 22 g ; 413 kcal

Côtes de porc laquées
à la marmelade d'oranges

Pour 4 personnes

PRÉPARATION 5 MINUTES
CUISSON 20 MINUTES

125 ml de vin rouge
115 g de marmelade d'oranges
1 gousse d'ail pilée
80 ml de jus d'orange
1 c. s. d'huile d'olive
4 côtes de porc de 240 g

1 Mélangez le vin, la marmelade, l'ail et le jus d'orange dans une petite casserole ; portez à ébullition et retirez la casserole du feu.

2 Faites chauffer l'huile dans une grande poêle et faites-y revenir le porc des deux côtés jusqu'à ce qu'il soit cuit à cœur. Retournez souvent les côtelettes et badigeonnez-les de marmelade à chaque fois.

Garniture Vous pouvez accompagner ces côtelettes de riz cuit à la vapeur et de mini-bok choy ou de choy sum sauté.

Par portion lipides 10,2 g ; 318 kcal

Porc teriyaki
et sauce au wasabi

Pour 4 personnes

PRÉPARATION 10 MINUTES • CUISSON 15 MINUTES

750 g de filet de porc
60 ml de sauce teriyaki
50 g de cresson ou de pousses de pois gourmands
100 g de mesclun
50 g de cresson
1 poivron rouge moyen émincé
250 g de tomates poires jaunes coupées en deux

Sauce au wasabi
1 à 2 c. c. de wasabi en poudre
60 ml de vinaigre de cidre
80 ml d'huile végétale
1 c. s. de sauce de soja claire

1 Parez le porc et badigeonnez-le de sauce teriyaki. Faites-le griller sur un gril en fonte huilé et préchauffé, sous le gril du four ou au barbecue, en le retournant et en le badigeonnant de sauce à plusieurs reprises, jusqu'à ce qu'il soit doré des deux côtés et cuit à cœur.

2 Mélangez dans un grand saladier le cresson ou les pousses de pois gourmands, le mesclun, le cresson, le poivron et les tomates.

3 Arrosez la salade de sauce au wasabi et mélangez délicatement. Coupez le porc en tranches fines et servez-le accompagné de la salade.

Sauce au wasabi Délayez le wasabi dans le vinaigre, dans un petit saladier ; incorporez l'huile et la sauce de soja en battant bien.

Par portion lipides 23 g ; 430 kcal

Crevettes au sel et au poivre

Décortiquez les crevettes en gardant la queue ; retirez la veine centrale. Mélangez du sel de Guérande, du cinq-épices et du poivre noir moulu et saupoudrez-en les crevettes. Faites cuire celles-ci sur le barbecue huilé et préchauffé.

Noix de Saint-Jacques et beurre aillé aux câpres

Faites fondre du beurre dans une casserole. Ajoutez de l'ail pilé, de câpres grossièrement hachées et de l'origan ciselé. Faites cuire le noix de Saint-Jacques sur le barbecue huilé et préchauffé en les arro sant régulièrement de beurre aux câpres. Servez-les avec le reste c beurre.

Poulet tikka

Enrobez des blancs de poulet de pâte tikka prête à l'emploi. Faites-les cuire sur le barbecue huilé et préchauffé, jusqu'à ce qu'ils soient dorés des deux côtés et cuits à cœur. Pelez, épépinez et émincez un concombre et mélangez-le avec du yaourt, de la menthe fraîche ciselée et 1 pincée de cumin en poudre. Servez avec le poulet.

Côtelettes d'agneau et dip à la betterave

Passez au robot ou au mixeur une petite betterave émincée avec d yaourt, de la coriandre fraîche ciselée et de l'ail pilé. Faites cuire le côtelettes sur le barbecue huilé et préchauffé. Accompagnez-les d dip à la betterave.

...oulet grillé au pesto

...élangez un peu de pesto et de vinaigre balsamique dans un bol ; ...nduisez-en des blancs de poulet avant de les faire cuire au barbecue. ...aissez-les reposer 5 minutes avant de les couper en tranches. Servez ... poulet sur un lit de mesclun, arrosé d'un filet d'huile d'olive.

Brochettes de poisson aux herbes

Détaillez des filets de poisson en cubes. Mélangez de la menthe, de la coriandre et du persil plat frais ciselés, du jus de citron vert, de l'ail pilé, du gingembre frais râpé et un filet d'huile d'arachide. Enrobez les cubes de poisson de cet appareil et enfilez-les sur les brochettes. Faites cuire sur le barbecue huilé et préchauffé.

...oulpe à l'ail et sauce au piment douce

...élangez de l'huile d'olive, de l'ail pilé, du jus de citron et de la sauce ... piment douce. Enrobez les petits poulpes de cette sauce et faites-... cuire sur le barbecue huilé et préchauffé jusqu'à ce qu'ils soient ...rés de toutes parts et cuits à cœur. Accompagnez-les de quartiers ... citron vert.

Steaks grillés et salsa de poivron vert

Émincez du poivron vert, de l'oignon rouge, du piment rouge frais et de l'oignon vert ; mélangez le tout et ajoutez du jus de citron vert, de la menthe et 1 pincée de sucre. Servez cette salsa avec des steaks de bœuf cuits au barbecue.

Nouilles et pâtes

Rapides et faciles à cuire, nouilles et pâtes s'accommodent de multiples façons et se prêtent à des accompagnements très variés. Chaudes ou en salade, cuisinées avec de la viande ou des légumes, elles vous permettront de réaliser des repas express qui raviront petits et grands. Les recettes qui suivent sont spécialement conçues pour être préparées sans peine par les cuisinières pressées.

Nouilles de Singapour

Pour 4 personnes

PRÉPARATION 10 MINUTES
CUISSON 20 MINUTES

250 g de vermicelles de riz
4 œufs légèrement battus
2 c. c. d'huile végétale
1 oignon jaune moyen grossièrement haché
2 gousses d'ail pilées
10 g de gingembre râpé
150 g de mini-bok choy grossièrement haché
100 g de pois gourmands coupés en deux
1 petit poivron rouge grossièrement émincé
2 c. s. de sauce de soja
2 c. s. de sauce d'huîtres
2 c. s. de sauce au piment douce
1 poignée de feuilles de coriandre
240 g de germes de soja

1 Faites tremper les vermicelles dans un saladier d'eau bouillante. Quand ils sont tendres, égouttez-les et découpez-les en tronçons de 10 cm.

2 Faites chauffer un wok ou une grande poêle légèrement huilée, ajoutez la moitié des œufs battus, en inclinant la poêle pour former une omelette fine. Retirez l'omelette de la poêle, roulez-la et découpez-la en tranches fines. Faites de même avec le reste d'œuf battu.

3 Faites fondre l'oignon dans l'huile chaude, dans le wok. Ajoutez l'ail et le gingembre, laissez revenir 1 minute en remuant. Incorporez le bok choy, les pois gourmands, le poivron, la sauce de soja, la sauce d'huîtres et la sauce au piment douce ; laissez cuire les légumes, sans cesser de remuer.

4 Ajoutez les vermicelles, l'omelette en tranches, la coriandre et les germes de soja. Mélangez délicatement et servez sans attendre.

Par portion lipides 9,9 g ; 369 kcal

Poulet sauté et galettes de nouilles

Pour 4 personnes

PRÉPARATION 10 MINUTES
CUISSON 10 MINUTES

**200 g de nouilles séchées
(cuisson rapide)
2 c. s. d'huile d'arachide
700 g de blanc de poulet
émincé
1 petit oignon jaune émincé
1 gousse d'ail pilée
1 carotte moyenne émincée
1 gros poivron rouge émincé
400 g de mini-bok choy coupé
en quatre
10 g de gingembre râpé
80 ml de sauce d'huîtres
2 c. s. de sauce de soja
180 ml de bouillon de volaille
1 c. s. de Maïzena**

1 Faites cuire les nouilles en respectant les instructions figurant sur l'emballage (vous pouvez parfumer l'eau de cuisson avec un cube de bouillon de volaille) puis égouttez-les bien. Faites chauffer la moitié de l'huile dans une grande poêle. Ajoutez les nouilles et pressez-les de façon à former une sorte de galette que vous ferez dorer de chaque côté.

2 Faites chauffer le reste d'huile dans un wok ou une grande poêle et faites-y sauter le poulet, en procédant en plusieurs fois. Réservez.

3 Faites revenir l'oignon et l'ail dans la même poêle (vous aurez gardé l'huile utilisée pour faire sauter la viande). Quand ils sont juste tendres, ajoutez la carotte et le poivron.

4 Quand les légumes sont encore croquants, incorporez le poulet, le bok choy, le gingembre, la sauce d'huîtres, la sauce de soja, la Maïzena et le bouillon de volaille préalablement mélangés ; laissez cuire jusqu'à ébullition et épaississement de la sauce.

5 Coupez la galette de nouilles en quatre et servez le poulet dessus.

Par portion lipides 20,7 g ; 476 kcal

Nouilles sautées au poulet et au kecap manis

Pour 4 personnes

PRÉPARATION 10 MINUTES • CUISSON 10 MINUTES

500 g de nouilles hokkien ou de nouilles de blé fraîches
1 c. s. d'huile d'arachide
750 g de blanc de poulet émincé
8 oignons verts grossièrement hachés
4 gousses d'ail pilées
110 g de gingembre râpé
230 g de châtaignes d'eau en boîte égouttées
300 g de choy sum ou de brocoli chinois grossièrement hachés
2 c. s. de coriandre fraîche grossièrement ciselée
2 c. s. de kecap manis (sauce de soja sucrée)
60 ml de bouillon de volaille

1 Dans une passoire, rincez les nouilles sous l'eau froide. Séparez-les à la fourchette et égouttez-les.

2 Faites chauffer l'huile dans un wok ou une grande poêle et faites-y revenir le poulet en plusieurs tournées, pour qu'il soit doré de toutes parts. Ajoutez l'oignon, l'ail, le gingembre et les châtaignes d'eau ; poursuivez la cuisson quelques minutes avant d'incorporer le choy sum, la coriandre, le kecap manis et le bouillon. Retirez le wok du feu quand le choy sum commence à flétrir.

3 Servez le poulet et les légumes sautés sur les nouilles.

Par portion lipides 19,1 g ; 486 kcal

Nouilles de riz et légumes d'Asie

Pour 4 personnes

PRÉPARATION 10 MINUTES
CUISSON 10 MINUTES

375 g de nouilles de riz sèches
1 c. s. d'huile d'arachide
1 oignon jaune moyen émincé
1 gousse d'ail pilée
10 g de gingembre râpé
4 mini-bok choy coupés en deux
dans la longueur
250 g de choy sum
250 g de brocoli chinois
200 g de pois gourmands
coupés en deux
2 c. s. de sauce de soja claire
60 ml de sauce hoisin
60 ml de sauce aux prunes
60 ml de bouillon de légumes
2 c. c. d'huile de sésame
1 c. s. de graines de sésame
blanc grillées

1 Faites tremper les nouilles dans l'eau bouillante jusqu'à ce qu'elles soient tendres puis égouttez-les.

2 Faites chauffer l'huile dans un wok et faites-y revenir l'oignon, l'ail et le gingembre.

3 Quand l'oignon a fondu, ajoutez le bok choy, le choy sum, le brocoli et les pois gourmands, la sauce de soja, la sauce hoisin et la sauce aux prunes préalablement mélangées, le bouillon et l'huile de sésame. Arrêtez la cuisson quand les légumes sont cuits mais encore légèrement croquants.

4 Servez les légumes sautés sur un lit de nouilles, parsemés de graines de sésame grillées.

Pratique Ajoutez du tofu à ce plat pour compléter son apport en protéines.

Garniture Si vous aimez les plats épicés, accompagnez ces nouilles de piments rouges frais très finement émincés.

Par portion lipides 11,1 g ; 477 kcal

Linguine aux asperges et à la pancetta

Pour 4 personnes

PRÉPARATION 20 MINUTES
CUISSON 20 MINUTES

500 g de linguine
150 g de pancetta
coupée en tranches extra-fines
80 ml d'huile d'olive
2 gousses d'ail émincées
250 g d'asperges vertes
détaillées en rondelles
100 g de roquette
60 ml de jus de citron

1 Faites cuire les pâtes dans un grand volume d'eau bouillante salée. Égouttez-les et remettez-les aussitôt dans la casserole pour qu'elles restent chaudes.

2 Pendant que les pâtes cuisent, recoupez les tranches de pancetta en deux puis faites-les dorer à sec dans une grande poêle antiadhésive. La pancetta doit être croustillante. Sortez-la alors de la poêle et réservez-la au chaud. Ajoutez dans la poêle l'huile, l'ail et les asperges ; faites cuire le tout jusqu'à ce que l'ail embaume.

3 Transférez ce mélange sur les pâtes, ajoutez la roquette, le jus de citron et la pancetta. Remuez délicatement et servez sans attendre.

Par portion lipides 25 g ; 685 kcal

Salade de raviolis aux tomates et brocolis

Pour 4 personnes

PRÉPARATION 15 MINUTES • CUISSON 15 MINUTES

375 g de raviolis aux épinards et à la ricotta
280 g de petits lardons
250 g de brocoli détaillé en fleurettes
250 g de tomates cerises coupées en deux
2 c. s. de basilic frais ciselé
125 ml d'huile d'olive
60 ml de vinaigre de vin blanc
2 c. s. de pesto de tomates séchées

1 Faites cuire les raviolis dans une grande casserole d'eau bouillante. Égouttez-les. Rincez-les à l'eau froide et égouttez-les à nouveau.

2 Faites revenir les lardons dans une petite poêle jusqu'à ce qu'ils soient dorés et croustillants. Égouttez-les sur du papier absorbant.

3 Faites cuire les brocolis à l'eau ou à la vapeur ; ils doivent rester légèrement croquants. Rincez-les à l'eau froide puis égouttez-les.

4 Mélangez les raviolis, les lardons, les brocolis, les tomates et le basilic dans un saladier. Mélangez dans un petit bol l'huile, le vinaigre et le pesto de tomate avant de verser cette sauce sur la salade. Remuez et servez sans attendre.

Pratique. Vous pouvez préparer la sauce avec un pesto de roquette, de basilic ou de légumes grillés (épiceries fines). Pour un déjeuner léger, servez cette salade en plat principal, accompagnée d'une salade verte et de pain de campagne.

Par portion lipides 37,9 g ; 528 kcal

Nouilles de riz fraîches au poulet et aux légumes sautés

Pour 6 personnes

PRÉPARATION 15 MINUTES
CUISSON 20 MINUTES

600 g de blanc de poulet coupé en tranches épaisses
2 gousses d'ail pilées
80 ml de sauce de soja
80 ml de sauce d'huîtres
400 g de nouilles de riz fraîches
2 c. s. d'huile d'arachide
1 oignon jaune moyen émincé
200 g de brocoli détaillé en fleurettes
200 g de mini-épis de maïs coupés en deux dans la longueur
1 poivron rouge moyen émincé
2 petites courgettes vertes détaillées en tranches fines
80 ml de bouillon de volaille
200 g de pois gourmands coupés en morceaux
150 g de germes de soja
4 oignons verts grossièrement hachés

1 Mélangez le poulet, l'ail, 2 cuillerées à soupe de sauce de soja et autant de sauce d'huîtres dans un grand saladier.

2 Dans un autre saladier, faites tremper les nouilles 5 minutes dans l'eau bouillante puis égouttez-les.

3 Faites chauffer la moitié de l'huile dans un wok ou une grande poêle et faites-y dorer le poulet, en procédant en plusieurs tournées. Réservez la viande au chaud entre deux assiettes creuses.

4 Versez le reste d'huile dans le wok et faites-y fondre l'oignon. Ajoutez les brocolis, le maïs, le poivron et les courgettes ; les légumes doivent rester croquants.

5 Remettez le poulet dans le wok, ajoutez le bouillon. Mélangez le reste de sauce de soja et de sauce d'huîtres, versez-les dans le wok. Portez à ébullition puis retirez le wok du feu ; ajoutez les nouilles, les pois gourmands, les germes de soja et l'oignon vert. Remuez délicatement et servez immédiatement.

Par portion lipides 9,6 g ; 326 kcal

Pâtes à la grecque

Pour 4 personnes

PRÉPARATION 25 MINUTES
CUISSON 15 MINUTES

1 aubergine détaillée en cubes
du gros sel
500 g de filet d'agneau
2 c. s. d'huile d'olive
250 g de conchiglie
ou de pâtes creuses
1 oignon rouge moyen émincé
100 g de roquette
2 tomates moyennes épépinées
et coupées en tranches fines
quelques feuilles d'origan frais
200 g de feta émiettée

Sauce au vinaigre balsamique
60 ml de vinaigre balsamique
125 ml d'huile d'olive
2 gousses d'ail pilées
2 c. s. de moutarde à l'ancienne

1 Mettez les cubes d'aubergine dans une passoire et saupoudrez-les de gros sel. Laissez-les dégorger 5 minutes, rincez-les à l'eau froide et égouttez-les sur du papier absorbant.

2 Faites dorer l'agneau dans une grande poêle antiadhésive, en procédant en plusieurs fois. Laissez reposer la viande 5 minutes avant de la découper en tranches épaisses.

3 Faites chauffer l'huile dans la même poêle pour y faire revenir les cubes d'aubergine, en procédant en plusieurs fois.

4 Pendant ce temps, faites cuire les pâtes dans un grand volume d'eau bouillante salée puis égouttez-les.

5 Mélangez les pâtes, l'agneau et l'aubergine dans un saladier avant d'y ajouter l'oignon, la roquette, les tomates, l'origan et la feta. Arrosez de sauce et remuez bien. Servez sans attendre.

Sauce au vinaigre balsamique Mettez le vinaigre balsamique, l'huile d'olive, l'ail pilé et la moutarde dans un bocal, fermez le couvercle et secouez énergiquement.

Par portion lipides 55,1 g ; 870 kcal

Nouilles sautées au bœuf et au sésame

Pour 12 pièces

PRÉPARATION 15 MINUTES • CUISSON 10 MINUTES

500 g de rumsteck coupé en tranches très fines
1 c. s. d'huile d'arachide
1 c. c. d'huile de sésame
2 gousses d'ail pilées
750 g de nouilles de riz fraîches
300 g de brocoli détaillé en fleurettes
2 c. s. de graines de sésame
60 ml de sauce d'huîtres
60 ml de sauce au piment douce

1 Mélangez le bœuf, l'huile d'arachide, l'huile de sésame et l'ail dans un saladier. Pendant que le bœuf marine, séparez délicatement les nouilles pour les découper en rubans de 2 cm de large.

2 Faites cuire les brocolis à l'eau ou à la vapeur puis égouttez-les.

3 Faites chauffer un wok à feu vif pour y faire revenir à sec les morceaux de bœuf, en procédant en plusieurs fois. Réservez ensuite la viande au chaud entre deux assiettes.

4 Faites sauter les graines de sésame jusqu'à ce qu'elles éclatent puis remettez la viande dans le wok. Ajoutez aussitôt les nouilles, les brocolis, la sauce d'huîtres et la sauce au piment. Réchauffer rapidement le tout. Servez sans attendre.

Par portion lipides 18,9 g ; 501 kcal

Penne aux poivrons et aux légumes grillés

Pour 4 personnes

PRÉPARATION 20 MINUTES
CUISSON 20 MINUTES

2 poivrons rouges
375 g de penne
200 g de mini-épis de maïs
coupés en deux dans la longueur
200 g de haricots verts
100 g de beurre
2 gousses d'ail pilées
2 c. s. d'origan ou de basilic
frais grossièrement ciselé

1 Coupez les poivrons en quatre puis retirez les pépins et les membranes blanches. Faites griller les quartiers de poivron quelques minutes au four, jusqu'à ce que la peau ait noirci. Laissez-les tiédir 5 minutes dans du papier d'aluminium avant de les éplucher et de les détailler en lanières épaisses.

2 Faites cuire les penne dans un grand volume d'eau bouillante salée puis égouttez-les.

3 Faites cuire séparément le maïs et les haricots verts, à l'eau ou à la vapeur. Égouttez-les.

4 Faites fondre le beurre dans une casserole et laissez-le frémir 3 minutes en remuant. Quand il prend une couleur noisette, retirez-le du feu et incorporez aussitôt l'ail et l'origan.

5 Dans un grand saladier, mélangez les pâtes, le maïs, les haricots, les poivrons et le beurre épicé. Remuez doucement et servez sans attendre.

Pratique Les poivrons pourront être préparés la veille et conservés à couvert au réfrigérateur.

Par portion lipides 22,4 g ; 574 kcal

Nouilles udon au porc et au piment

Pour 4 personnes

PRÉPARATION 10 MINUTES
CUISSON 10 MINUTES

**500 g de nouilles udon
(nouilles de blé japonaises)
1 c. s. d'huile d'arachide
2 c. s. d'ail nouveau ciselé
3 gousses d'ail pilées
3 piments oiseaux frais
émincés très finement
500 g de viande de porc hachée
60 ml de sauce de soja claire
125 ml de bouillon de volaille
80 g de germes de soja
4 oignons verts émincés**

1 Faites cuire les nouilles dans un grand volume d'eau bouillante salée puis égouttez-les.

2 Pendant que les nouilles cuisent, faites chauffer l'huile dans un wok ou une grande poêle pour y faire revenir l'ail nouveau, l'ail pilé et le piment jusqu'à ce qu'ils aient libéré leurs arômes.

3 Ajoutez le porc. Quand la viande est cuite, incorporez la sauce de soja claire et le bouillon de volaille. Laissez sur le feu jusqu'à ce que le mélange soit chaud.

4 Servez la viande sur un lit de nouilles. Garnissez de germes de soja et d'oignon vert.

Pratique Les nouilles udon peuvent être plates ou rondes, et plus ou moins épaisses : leur temps de cuisson variera en conséquence.

Garniture Servez ce plat avec des légumes verts à la sauce d'huîtres.

Par portion lipides 14,8 g ; 430 kcal

Pad thaï végétarien

Pour 4 personnes

PRÉPARATION 15 MINUTES • CUISSON 10 MINUTES

200 g de nouilles de riz
60 ml d'huile d'arachide
2 œufs légèrement battus
2 gousses d'ail pilées
2 piments oiseaux épépinés et finement hachés
1 petit oignon frit
125 g de tofu frit détaillé en petits dés
35 g de cacahuètes grillées concassées
240 g de germes de soja
6 oignons verts émincés
2 c. s. de sauce de soja
1 c. s. de jus de citron vert
2 c. s. de coriandre fraîche grossièrement ciselée

1   Mettez les nouilles dans un grand saladier, couvrez-les d'eau bouillante et laissez-les reposer jusqu'à ce qu'elles soient juste tendres puis égouttez-les.

2   Faites chauffer 2 cuillerées à café d'huile dans un wok, versez les œufs battus et inclinez le wok en tous sens. Quand l'omelette commence à prendre, sortez-la du wok, roulez-la et découpez-la en tronçons.

3   Faites chauffer le reste d'huile dans le wok pour y faire revenir l'ail, le piment et l'oignon frit. Ajoutez ensuite le tofu puis, 1 minute après, les cacahuètes, la moitié des germes de soja et la moitié de l'oignon vert émincé. Incorporez enfin les nouilles, la sauce de soja et le jus de citron vert. Laissez cuire quelques minutes sans cesser de remuer.

4   Retirez le wok du feu et incorporez les cacahuètes et le reste d'oignon vert et de germes de soja. Ajoutez enfin l'omelette et la coriandre. Servez sans attendre.

Par portion lipides 27 g ; 433 kcal

Salade de nouilles croustillantes

Pour 4 personnes

PRÉPARATION 15 MINUTES

1 poivron rouge moyen
100 g de frisée
100 g de nouilles frites
croustillantes
1 petit oignon rouge émincé
1 c. s. de menthe fraîche
grossièrement ciselée
1 c. s. de coriandre fraîche
grossièrement ciselée

Assaisonnement
80 ml d'huile d'arachide
1 c. s. de vinaigre de vin blanc
1 c. s. de sucre roux
1 c. s. de sauce de soja claire
1 c. c. d'huile de sésame
1 gousse d'ail pilée

1 Coupez le poivron en deux dans la hauteur. Retirez les graines et les pépins, émincez la chair en fines lamelles. Nettoyez la frisée et jetez l'extrémité dure des feuilles.

2 Mettez dans un saladier le poivron, la salade, les nouilles, l'oignon, la menthe et la coriandre. Arrosez de sauce et remuez. Servez sans attendre : les nouilles doivent rester craquantes.

Assaisonnement Mélangez tous les ingrédients dans un bocal, fermez le couvercle et secouez énergiquement.

Astuce Les nouilles croustillantes sont déjà frites et prêtes à consommer. Il en existe deux variétés : certaines sont fines et rondes comme des spaghettis, d'autres sont larges et plates comme des fettuccine.

Par portion lipides 22,7 g ; 264 kcal

Bœuf satay aux nouilles hokkien

Pour 4 personnes

PRÉPARATION 15 MINUTES
CUISSON 15 MINUTES

600 g de nouilles hokkien
300 g de rumsteck émincé
2,5 g de gingembre frais râpé
2 c. c. d'huile de sésame
1 petit oignon rouge émincé
1 poivron rouge moyen émincé
150 g de brocoli
en petits bouquets
2 c. c. de jus de citron vert
60 ml de sauce satay
(sauce asiatique aux cacahuètes)
1 c. s. de sauce hoisin
80 ml de sauce de soja
1 c. s. de kecap manis
(sauce de soja sucrée)
150 g de pois gourmands
1 c. s. de coriandre fraîche
ciselée
35 g de cacahuètes grillées
concassées

1 Mettez les nouilles dans un saladier, couvrez-les d'eau bouillante puis laissez-les reposer. Quand elles sont souples, séparez-les à la fourchette puis égouttez-les.

2 Faites chauffer un wok légèrement huilé pour y faire revenir à feu vif le bœuf et le gingembre ; procédez en plusieurs tournées si le wok n'est pas assez grand. Réservez la viande au chaud entre deux assiettes.

3 Faites chauffer l'huile dans le même wok pour y faire sauter l'oignon, le poivron et les brocolis ; ils doivent rester juste croquants. Remettez alors le bœuf dans le wok puis ajoutez le jus de citron vert, la sauce satay, la sauce hoisin, la sauce de soja et le kecap manis préalablement mélangés. Portez à ébullition avant d'incorporer les nouilles et les pois gourmands.

4 Quand le mélange est bien chaud, ajoutez la coriandre. Poursuivez la cuisson quelques minutes. Servez le bœuf parsemé de cacahuètes grillées.

Garniture Accompagnez ce plat de sambal oelek, une sauce indonésienne très forte à base de vinaigre et de piment.

Par portion lipides 15,8 g ; 667 kcal

Nouilles hokkien aux crevettes

Pour 4 personnes

PRÉPARATION 20 MINUTES • CUISSON 10 MINUTES

1,2 kg de grosses crevettes crues
500 g de nouilles hokkien
300 g de mini-bok choy
2 c. s. d'huile d'arachide
1 piment oiseau finement haché
1 gousse d'ail pilée
60 ml d'eau
2 c. s. d'huile de sésame
125 ml de kecap manis (sauce de soja sucrée)
60 ml de sauce de soja claire
1 petit bouquet de coriandre fraîche
grossièrement ciselée

1   Décortiquez les crevettes en gardant les queues.

2   Mettez les nouilles dans un saladier, couvrez-les d'eau bouillante puis laissez-les reposer. Quand elles sont souples, séparez-les à la fourchette puis égouttez-les. Coupez le bok choy en quatre dans la hauteur.

3   Faites chauffer 1 cuillerée à soupe d'huile d'arachide dans un wok pour y faire revenir rapidement l'ail et le piment. Quand ils embaument, faites-y sauter les crevettes ; la chair doit devenir opaque. Réservez-les au chaud entre deux assiettes.

4   Faites chauffer le reste d'huile d'arachide dans le wok et laissez-y cuire les nouilles et le bok choy, à feu vif. Quand ce dernier commence à flétrir, remettez les crevettes dans le wok puis ajoutez l'eau, l'huile de sésame, le kecap manis, la sauce de soja et la coriandre. Laissez sur le feu jusqu'à ce que le mélange soit chaud. Servez aussitôt.

Par portion lipides 12,9 g ; 411 kcal

Salade fraîche aux nouilles de riz

Pour 4 personnes

PRÉPARATION 20 MINUTES

150 g de nouilles de riz
60 ml de jus de citron vert
60 ml de sauce au piment douce
1 c. s. de sauce de soja claire
1 c. s. de sucre en poudre
480 g de chou rouge émincé
1 grosse carotte émincée
1 mini-concombre épépiné et émincé
3 tomates olivettes épépinées et émincées
1 poivron jaune émincé
1 petite poignée de feuilles de coriandre fraîche
1 petite poignée de feuilles de menthe fraîche
1 petite poignée de feuilles de basilic thaï frais

1 Mettez les nouilles dans un saladier, couvrez-les d'eau bouillante puis laissez-les reposer. Quand elles sont souples, séparez-les à la fourchette puis égouttez-les.

2 Mélangez dans un petit bol le jus de citron vert, la sauce au piment, la sauce de soja et le sucre. Remuez bien pour faire dissoudre le sucre.

3 Mettez les nouilles dans un saladier. Arrosez-les de sauce puis ajoutez le chou, la carotte, le concombre, les tomates, le poivron et les feuilles de coriandre, de menthe et de basilic. Mélangez et servez aussitôt.

Par portion lipides 1,6 g ; 216 kcal

Farfalle aux courgettes, à l'ail et au citron

Pour 4 personnes

PRÉPARATION 10 MINUTES
CUISSON 20 MINUTES

375 g de farfalle
3 courgettes jaunes moyennes
3 courgettes vertes moyennes
30 g de beurre
1 c. s. d'huile d'olive
2 gousses d'ail pilées
80 ml de bouillon de légumes
125 ml de crème fraîche
2 c. c. de zeste de citron râpé
quelques brins de ciboulette
ciselés

1 Faites cuire les pâtes dans un grand volume d'eau bouillante salée puis égouttez-les. Remettez-les dans la casserole pour qu'elles restent chaudes.

2 Coupez toutes les courgettes en deux dans la longueur avant de les détailler en biais en tranches fines.

3 Faites chauffer le beurre et l'huile dans une poêle pour y faire revenir les courgettes et l'ail à feu vif, en remuant sans cesse. Quand les courgettes sont juste cuites (elles doivent rester légèrement croquantes), arrosez-les de bouillon et portez à ébullition. Baissez le feu puis incorporez la crème fraîche, le zeste de citron et la ciboulette.

4 Versez ce mélange bien chaud sur les pâtes et remuez délicatement. Servez aussitôt.

Par portion lipides 26,1 g ; 564 kcal

Salade de pâtes aux fruits de mer

Pour 4 personnes

PRÉPARATION 5 MINUTES • CUISSON 20 MINUTES
RÉFRIGÉRATION 30 MINUTES

1 c. c. d'huile d'olive
1 petit oignon jaune émincé
1 gousse d'ail pilée
500 g de fruits de mer variés
375 g de conchiglie
1 c. s. de vin blanc sec
150 g de mayonnaise
1 c. c. de jus de citron
2 c. c. de sauce Worcestershire
80 ml de sauce tomate
1/4 c. c. de Tabasco
1 c. s. de persil plat frais grossièrement ciselé
100 g de roquette

1 Faites chauffer l'huile dans une poêle et faites-y revenir l'ail et l'oignon. Quand ils sont tendres, ajoutez les fruits de mer et laissez-les cuire quelques minutes, sans cesser de remuer. Transférez-les ensuite dans un saladier, couvrez et mettez-les au moins 30 minutes au frais.

2 Faites cuire les pâtes dans un grand volume d'eau bouillante salée puis égouttez-les. Rafraîchissez-les sous l'eau froide puis égouttez-les à nouveau.

3 Dans un grand saladier, mélangez le vin blanc, la mayonnaise, le jus de citron, la sauce Worcestershire, la sauce tomate, le Tabasco et le persil. Ajoutez les pâtes et les fruits de mer. Remuez délicatement. Servez sur un lit de roquette.

Par portion lipides 15,2 g ; 634 kcal

Agneau et pâtes au pesto de menthe

Pour 4 personnes

PRÉPARATION 15 MINUTES
CUISSON 25 MINUTES

500 g de linguine
ou de tagliatelles
1 bouquet de menthe fraîche
2 gousses d'ail pilées
50 g de pignons de pin
2 c. s. de parmesan râpé
80 ml d'huile d'olive
500 g de filet d'agneau émincé
300 ml de crème fraîche

1 Faites cuire les pâtes dans un grand volume d'eau bouillante salée puis égouttez-les. Remettez-les dans la casserole pour qu'elles restent chaudes.

2 Mettez dans le bol du robot la menthe, l'ail, les pignons de pin, le parmesan et 60 ml d'huile. Mixez pour obtenir une sauce homogène.

3 Faites chauffer le reste d'huile dans une grande poêle et faites-y dorer l'agneau de toutes parts. Réservez-le au chaud entre deux assiettes.

4 Versez le pesto de menthe et la crème fraîche dans le wok ; mélangez intimement. Ajoutez enfin l'agneau et les pâtes. Remuez sur le feu pour que le mélange soit bien chaud. Servez sans attendre.

Par portion lipides 61,8 g ; 1 124 kcal

Noix de Saint-Jacques
et pois gourmands aux nouilles fraîches

Pour 4 personnes

PRÉPARATION 15 MINUTES
CUISSON 15 MINUTES

75 g de sucre en poudre
80 ml d'eau
125 ml de jus de citron vert
2 c. s. de sauce d'huîtres
1 gousse d'ail pilée
250 g de nouilles fraîches
aux œufs
1 c. s. d'huile d'arachide
1/2 c. c. d'huile de sésame
600 g de noix de Saint-Jacques
1 carotte moyenne
coupée en julienne
8 oignons verts émincés
150 g de pois gourmands
2 c. s. de coriandre fraîche
ciselée

1 Mettez le sucre, l'eau et le jus de citron vert dans une casserole. Faites chauffer le mélange sans le laisser bouillir jusqu'à ce que le sucre soit bien dissous puis portez à ébullition. Laissez cuire à feu vif durant 3 minutes avant d'incorporer la sauce d'huîtres et l'ail.

2 Faites cuire les nouilles dans un grand volume d'eau bouillante salée puis égouttez-les.

3 Faites chauffer l'huile d'arachide et l'huile de sésame dans un wok et faites-y revenir à feu vif les noix de Saint-Jacques, 2 minutes de chaque côté. Réservez-les ensuite au chaud.

4 Faites sauter à feu vif dans le wok encore chaud la carotte, les oignons et les pois gourmands.

5 Remettez les noix de Saint-Jacques dans le wok puis versez le mélange au citron vert. Remuez sur le feu jusqu'à ce que le mélange soit bien chaud. Servez alors les noix de Saint-Jacques sur les nouilles après les avoir parsemées de coriandre ciselée.

Par portion lipides 7,2 g ; 404 kcal

Lasagnes au potiron et à la sauge

Pour 4 personnes

PRÉPARATION 15 MINUTES • CUISSON 15 MINUTES

500 g de feuilles de lasagne
50 g de beurre
60 ml d'huile d'olive
1 kg de potiron en petits morceaux
2 gousses d'ail très finement émincées
1 c. c. de feuilles de thym frais
40 g de parmesan frais râpé
2 c. c. de feuilles de sauge ciselées

1 Cassez les feuilles de lasagne en gros morceaux et faites-les cuire dans une grande casserole d'eau bouillante salée. Égouttez-les en réservant 2 cuillerées à soupe de l'eau de cuisson.

2 Faites chauffer le beurre et l'huile dans une grande poêle antiadhésive et faites-y cuire le potiron en remuant doucement. Ajoutez l'ail et le thym. Prolongez la cuisson jusqu'à ce qu'ils embaument.

3 Au moment de servir, incorporez délicatement au potiron le parmesan, la sauge puis les pâtes. Mouillez avec le liquide de cuisson réservé. Servez ce plat agrémenté de copeaux de parmesan.

Par portion lipides 29,7 g ; 758 kcal

Bucatini à la ricotta

Pour 4 personnes

PRÉPARATION 5 MINUTES
CUISSON 15 MINUTES

375 g de bucatini
550 g d'aubergines
marinées à l'huile
2 gousses d'ail pilées
800 g de tomates concassées
en boîte
1/2 c. c. de poivre noir concassé
300 g de ricotta
grossièrement émiettée

1   Faites cuire les bucatini dans un grand volume d'eau bouillante salée puis égouttez-les. Réservez-les au chaud dans la casserole.

2   Mettez dans une grande casserole les aubergines avec leur huile et l'ail pilé. Réchauffez le tout en remuant sans cesse.

3   Quand l'ail embaume, ajoutez les pâtes, les tomates concassées avec leur jus et le poivre. Mélangez sur le feu en veillant à ne pas laisser la sauce bouillir. Quand le mélange est chaud, ajoutez la ricotta et servez sans attendre.

Pratique Vous pouvez remplacer les aubergines par d'autres légumes marinés : champignons, artichauts, tomates séchées, poivrons…

Par portion lipides 32,4 g ; 802 kcal

Penne puttanesca

Pour 4 personnes

PRÉPARATION 10 MINUTES
CUISSON 20 MINUTES

500 g de penne
80 ml d'huile d'olive
3 gousses d'ail pilées
1 c. c. d'éclats de piment
5 tomates moyennes
concassées
200 g d'olives noires
dénoyautées
8 filets d'anchois égouttés
et grossièrement hachés
65 g de câpres rincées
et égouttées
1 poignée de persil plat
grossièrement ciselé
2 c. s. de basilic frais ciselé

1   Faites cuire les penne dans un grand volume d'eau bouillante salée puis égouttez-les. Réservez-les au chaud dans la casserole couverte pendant que vous préparez la sauce.

2   Faites chauffer l'huile dans une grande poêle et faites-y revenir l'ail. Quand il embaume, ajoutez le piment et les tomates. Laissez cuire 5 minutes sans cesser de remuer.

3   Incorporez le reste des ingrédients et prolongez la cuisson à feu doux jusqu'à ce que la sauce ait épaissi. Ajoutez la sauce puttanesca aux pâtes, mélangez et servez bien chaud.

Par portion lipides 21,2 g ; 674 kcal

Salade de vermicelles et crevettes au piment doux

Pour 4 personnes

PRÉPARATION 20 MINUTES • CUISSON 5 MINUTES

125 g de vermicelles de riz séchés
2 mini-concombres
2 carottes moyennes
150 g de germes de soja
500 g de crevettes cuites décortiquées
1 poignée de feuilles de coriandre
1 poignée de feuilles de menthe

Sauce au piment
80 ml de sauce au piment douce
2 c. s. de nuoc-mâm
80 ml de jus de citron vert
3 piments oiseaux épépinés et finement hachés

1 Faites tremper les vermicelles dans un grand volume d'eau bouillante et couvrez. Égouttez-les, rincez-les sous l'eau froide puis égouttez-le à nouveau.

2 Détaillez les concombres en tranches fines (épépinez-les d'abord) et les carottes en bâtonnets.

3 Mélangez les vermicelles, le concombre, la carotte, les germes de soja, les crevettes, la coriandre et la menthe dans un grand saladier. Versez la sauce et remuez. Servez sans attendre.

Sauce au piment Mélangez tous les ingrédients dans un bocal, fermez le couvercle et secouez énergiquement.

Pratique Préparez la sauce 2 jours à l'avance : les arômes auront ainsi le temps de se développer.

Garniture Décorez cette salade de cacahuètes grillées grossièrement concassées.

Par portion lipides 4 g ; 303 kcal

Fettuccine au chou-fleur et au brocoli

Pour 4 personnes

PRÉPARATION 10 MINUTES
CUISSON 20 MINUTES

250 g de fettuccine
350 g de chou-fleur
détaillé en fleurettes
350 g de brocoli
détaillé en fleurettes
80 g de beurre
2 belles gousses d'ail pilées
35 g de chapelure
2 filets d'anchois à l'huile
égouttés et finement hachés

1 Faites cuire les pâtes dans un grand volume d'eau bouillante salée. Égouttez-les et remettez-les dans la casserole pour qu'elles restent chaudes.

2 Pendant la cuisson des pâtes, faites cuire séparément le chou-fleur et les brocolis ; ils doivent être juste tendres. Rincez-les à l'eau froide puis égouttez-les.

3 Faites fondre le beurre dans une grande poêle pour y faire revenir la chapelure et l'ail puis le chou-fleur et le brocoli. Ajoutez enfin les anchois.

4 Mélangez les pâtes et les légumes dans un plat de service. Servez sans attendre.

Par portion lipides 18,1 g ; 436 kcal

Spaghettis à la roquette, au parmesan et aux pignons de pin

Pour 4 personnes

PRÉPARATION 5 MINUTES
CUISSON 10 MINUTES

200 g de spaghettis
60 ml d'huile d'olive
2 gousses d'ail pilées
1 piment oiseau frais
finement haché
40 g de pignons de pin grillés
40 g de copeaux de parmesan
100 g de roquette

1 Faites cuire les spaghettis dans un grand volume d'eau bouillante salée puis égouttez-les.

2 Faites chauffer l'huile dans une petite casserole et faites-y revenir l'ail et le piment 30 secondes. L'ail doit embaumer sans brunir.

3 Dans un grand saladier, mélangez les pâtes, l'huile aromatisée, les pignons de pin, le parmesan et la roquette. Servez immédiatement.

Par portion lipides 24,6 g ; 407 kcal

Fritatta aux cheveux d'ange

Pour 4 personnes

PRÉPARATION 10 MINUTES • CUISSON 20 MINUTES

100 g de cheveux d'ange
1 c. s. d'huile végétale
1 petit poireau grossièrement haché
2 gousses d'ail pilées
20 g de parmesan râpé
200 g de feta émiettée
60 g d'épinards grossièrement hachés
120 g de crème aigre
1/4 c. c. de noix de muscade moulue
6 œufs légèrement battus

1 Faites cuire les cheveux d'ange dans un grand volume d'eau bouillante salée puis égouttez-les.

2 Faites chauffer l'huile dans une poêle de 20 cm de diamètre pour y faire revenir l'ail et le poireau.

3 Mélangez dans un récipient les pâtes, le poireau et l'ail, le parmesan, la feta, les épinards, la crème aigre, la noix de muscade et les œufs battus. Versez le tout dans la poêle, couvrez et laissez cuire 10 minutes à feu doux.

4 Faites glisser la frittata dans un grand plat rond et passez-la 5 minutes sous le gril du four. L'omelette doit être bien prise et légèrement dorée sur le dessus. Laissez reposer 5 minutes avant de servir.

Par portion lipides 34,8 g ; 527 kcal

Linguine au crabe

Pour 4 personnes

PRÉPARATION 10 MINUTES
CUISSON 15 MINUTES

80 ml d'huile d'arachide
300 g de chair de crabe fraîche
1 gousse d'ail pilée
2 piments oiseaux épépinés
et émincés
125 ml de vin blanc sec
1 c. s. de zeste de citron
finement râpé
375 g de linguine
1 petit bouquet de persil plat
grossièrement ciselé
1 petit oignon rouge émincé

1 Faites chauffer la moitié de l'huile dans une poêle antiadhésive pour y faire revenir la chair de crabe avec l'ail et le piment.

2 Ajoutez le vin blanc et le zeste de citron. Portez à ébullition puis baissez le feu et laissez frémir ; la sauce doit réduire de moitié.

3 Faites cuire les pâtes dans un grand volume d'eau bouillante salée puis égouttez-les.

4 Mettez les pâtes chaudes dans un plat de service puis nappez-les de sauce au crabe. Ajoutez le persil, l'oignon et le reste d'huile. Mélangez délicatement et servez sans attendre.

Par portion lipides 19,7 g ; 550 kcal

Rigatoni au brie, sauce aux noix et aux champignons

Pour 4 personnes

PRÉPARATION 5 MINUTES
CUISSON 20 MINUTES

1 c. s. d'huile d'olive
1 gousse d'ail pilée
200 g de champignons de Paris
coupés en deux
125 ml de vin blanc sec
2 c. s. de moutarde à l'ancienne
600 ml de crème fraîche allégée
375 g de rigatoni
200 g de brie de Meaux
coupé en petits dés
100 g de noix grillées
concassées
quelques brins de ciboulette
ciselés

1 Faites chauffer l'huile dans une poêle pour y faire revenir l'ail et les champignons. Versez le vin, portez à ébullition puis baissez le feu et laissez réduire de moitié.

2 Incorporez la moutarde et la crème. Prolongez la cuisson pendant quelques minutes pour faire épaissir la sauce.

3 Faites cuire les pâtes dans un grand volume d'eau bouillante salée puis égouttez-les.

4 Mélangez dans un plat de service les pâtes, le brie, les noix, la ciboulette et la sauce. Remuez et servez sans attendre.

Par portion lipides 77,7 g ; 1 121 kcal

Recettes végétariennes

Grâce aux méthodes de cuisson rapide que nous vous proposons
pour la plupart de ces recettes, vous pourrez cuisiner des légumes
pour vos repas de tous les jours, même si vous êtes pressé.
Sains et parfaits pour la ligne, ils permettent aussi de réaliser
des plats très variés, et de changer tous les soirs de menu…
Idéal pour éviter la monotonie dans son assiette.

Gnocchis à la ricotta et salsa de tomate

Pour 4 personnes

PRÉPARATION 10 MINUTES • CUISSON 20 MINUTES

500 g de ricotta ferme
80 g de parmesan râpé
75 g de farine
2 œufs légèrement battus
1 c. s. d'huile d'olive
4 tomates moyennes concassées
6 oignons verts émincés
2 c. s. d'origan frais grossièrement ciselé
2 c. s. de vinaigre balsamique
2 c. s. d'huile d'olive en supplément
40 g de copeaux de parmesan

1 Portez un grand volume d'eau à ébullition.

2 Mélangez la ricotta, le parmesan râpé, la farine, les œufs et l'huile dans un grand saladier. Formez de petites boules et plongez-les dans l'eau bouillante, sans remuer. Sortez les gnocchis avec une écumoire dès qu'ils remontent à la surface et mettez-les aussitôt dans une passoire. Laissez-les s'égoutter à couvert, pour qu'ils restent chauds.

3 Mélangez les tomates, les oignons, l'origan et le vinaigre balsamique dans un saladier.

4 Nappez les gnocchis de cette salsa de tomate, arrosez d'un filet d'huile d'olive et parsemez de copeaux de parmesan.

Par portion lipides 40,6 g ; 570 kcal

Brochettes de légumes
et purée de haricots blancs

Pour 4 personnes

PRÉPARATION 15 MINUTES
CUISSON 15 MINUTES

1 gros oignon rouge
200 g de champignons de Paris
250 g de tomates cerises
4 petites courgettes
coupées en tronçons épais
2 c. s. de vinaigre balsamique
2 c. s. d'huile d'olive

Purée de haricots blancs
2 boîtes de 400 g de haricots
blancs rincés et égouttés
250 ml de bouillon de volaille
1 gousse d'ail coupée en quatre
1 c. s. de jus de citron vert
1 c. s. d'huile d'olive

1 Découpez l'oignon en 12 morceaux.

2 Piquez les morceaux d'oignon et de courgette, les champignons et les tomates sur 12 brochettes. Posez celles-ci dans un grand plat et arrosez-les de l'huile et du vinaigre mélangés.

3 Faites cuire les brochettes sur un gril en fonte préchauffé ou au barbecue. Les légumes doivent être tendres et dorés.

4 Servez les brochettes avec la purée de haricots blancs.

Purée de haricots blancs Mettez les haricots blancs et le bouillon dans une casserole, portez à ébullition puis réduisez le feu et laissez frémir 10 minutes, jusqu'à absorption complète du liquide. Ajoutez dans la casserole l'ail, le jus de citron et l'huile d'olive et mixez le tout ; vous devez obtenir une purée lisse.

Par portion lipides 14,7 g ; 211 kcal

174

Risotto minute aux artichauts

Pour 6 personnes

PRÉPARATION 10 MINUTES
CUISSON 25 MINUTES

**2 c. c. d'huile d'olive
1 oignon jaune moyen haché
3 gousses d'ail pilées
6 oignons verts émincés
400 g de riz blanc
à grain moyen
180 ml de vin blanc sec
375 ml de bouillon de volaille
750 ml d'eau
400 g de cœurs d'artichauts
en boîte égouttés et émincés
40 g de parmesan râpé**

1 Faites chauffer l'huile dans une casserole et faites-y fondre l'oignon jaune, l'ail et la moitié des oignons verts. Ajoutez le riz, le vin blanc, le bouillon et l'eau. Portez à ébullition. Baissez le feu, couvrez et laissez frémir 20 minutes, en remuant de temps en temps.

2 Incorporez les cœurs d'artichauts et le reste des oignons verts. Laissez cuire encore 5 minutes en remuant, pour que les cœurs d'artichauts soient bien chauds, puis ajoutez le parmesan. Servez sans attendre.

Pratique En choisissant la méthode simple qui consiste à couvrir le riz pendant la cuisson, plus besoin de le remuer pendant toute la durée de la cuisson. On obtiendra de meilleurs résultats avec du riz arborio, mais on peut aussi opter pour un riz à grain moyen, comme le riz calrose.

Garniture Ce risotto se mariera parfaitement avec une salade de tomates et de fenouil au basilic.

Par portion lipides 4,5 g ; 323 kcal

Curry de tofu frit, petits pois et chou-fleur

Pour 4 personnes

PRÉPARATION 10 MINUTES • CUISSON 30 MINUTES

2 c. s. d'huile d'olive
1 oignon jaune moyen grossièrement haché
2 gousses d'ail pilées
900 g de fleurettes de chou-fleur
1 c. c. de cumin moulu
1/2 c. c. de coriandre moulue
1/2 c. c. de curcuma moulu
1/4 c. c. de poivre de Cayenne
1 c. c. de garam masala
410 g de tomates concassées en boîte
250 ml de bouillon de légumes
120 g de petits pois surgelés
400 g de tofu ferme
60 ml d'huile végétale

1 Faites chauffer l'huile d'olive dans une grande poêle et laissez-y fondre l'oignon et l'ail.

2 Ajoutez le chou-fleur, le cumin, la coriandre, le curcuma, le poivre et le garam masala ; poursuivez la cuisson 2 minutes. Incorporez les tomates avec leur jus puis le bouillon. Portez à ébullition puis laissez frémir 10 minutes à couvert ; le chou-fleur doit être tendre. Ajoutez les petits pois et laissez reposer hors du feu à couvert, pendant que vous faites frire le tofu.

3 Coupez le tofu en cubes. Faites chauffer l'huile végétale dans une poêle et faites-y dorer le tofu à feu vif, en procédant en plusieurs tournées. Épongez-le sur du papier absorbant au fur et à mesure.

4 Incorporez le tofu égoutté au curry de chou-fleur. Servez bien chaud.

Pratique Cette recette se prépare au dernier moment pour que le tofu reste croustillant.

Garniture Servez ce curry avec du riz blanc.

Par portion lipides 26,5 g ; 340 kcal

Légumes et tofu sautés
à la sauce de haricots noirs

Pour 6 personnes

PRÉPARATION 20 MINUTES
CUISSON 10 MINUTES

450 g de nouilles hokkien
300 g de tofu ferme frais
2 c. s. d'huile d'arachide
1 aubergine moyenne
détaillée en fines lamelles
1 carotte moyenne
en tranches fines
1 poivron rouge moyen émincé
230 g de châtaignes d'eau
en boîte rincées et égouttées
1 gousse d'ail pilée
10 g de gingembre frais râpé
250 g de brocolini
grossièrement haché
500 g de choy sum
grossièrement haché
2 c. s. de kecap manis
(sauce de soja sucrée)
125 ml de sauce de haricots
noirs

1 Faites tremper les nouilles dans de l'eau bouillante, dans un saladier. Séparez-les à la fourchette puis égouttez-les.

2 Égouttez le tofu et découpez-le en 12 cubes. Faites chauffer la moitié de l'huile dans un wok ou une grande poêle et faites-y dorer le tofu, en procédant en plusieurs fois. Égouttez-le sur du papier absorbant au fur et à mesure et réservez.

3 Faites chauffer la moitié de l'huile restante dans le wok et faites-y revenir l'aubergine. Ajoutez la carotte, le poivron et les châtaignes d'eau. Laissez cuire et réservez.

4 Faites revenir l'ail et le gingembre dans le reste d'huile. Quand ils embaument, ajoutez le brocolini et le choy sum, poursuivez la cuisson 5 minutes puis ajoutez les nouilles, le kecap manis, la sauce de haricots noirs et la préparation aux aubergines. Laissez sur le feu jusqu'à ce que le tout soit bien chaud. Incorporez le tofu. Mélangez et servez sans attendre.

Par portion lipides 14,3 g ; 324 kcal

Riz aux champignons et aux épinards

Pour 4 personnes

PRÉPARATION 10 MINUTES
CUISSON 25 MINUTES

750 ml de bouillon de légumes
60 ml de vin blanc sec
1 c. s. de zeste de citron râpé
1 oignon jaune moyen
finement haché
2 gousses d'ail pilées
250 g de pleurotes
coupés en deux
150 g de champignons de Paris
coupés en deux
300 g de riz blanc à grain moyen
2 c. s. de jus de citron
250 ml d'eau
100 g de pousses d'épinards
grossièrement émincées
40 g de parmesan frais râpé
2 c. s. de feuilles de basilic frais
ciselées

1 Faites chauffer dans une casserole 1 cuillerée à soupe de bouillon avec le vin blanc et le zeste de citron puis laissez-y fondre l'oignon et l'ail. Ajoutez tous les champignons et poursuivez la cuisson 5 minutes, tout en remuant.

2 Incorporez le riz, le jus de citron, l'eau et le reste de bouillon. Portez à ébullition puis réduisez le feu et laissez mijoter 20 minutes à couvert.

3 Incorporez les épinards, le parmesan et le basilic, remuez et servez sans attendre.

Pratique Vous pouvez remplacer le basilic par du persil ou de la coriandre.

Garniture Accompagnez ce plat d'une salade verte assaisonnée au vinaigre balsamique et d'un pain aux olives.

Par portion lipides 4,9 g ; 383 kcal

Potiron sauté
au piment et au basilic

Pour 4 personnes

PRÉPARATION 10 MINUTES • CUISSON 15 MINUTES

80 ml d'huile d'arachide
1 gros oignon jaune émincé
2 gousses d'ail émincées
4 piments oiseaux frais émincés
1 kg de potiron grossièrement haché
250 g de pois gourmands
1 c. c. de sucre roux
60 ml de bouillon de légumes
2 c. s. de sauce de soja
1 petit bouquet de basilic pourpre
ou de basilic commun
4 oignons verts émincés
75 g de cacahuètes grillées non salées

1 Faites chauffer l'huile dans un wok et faites-y revenir l'oignon jaune, jusqu'à ce qu'il soit croustillant et bien doré. Égouttez-le sur du papier absorbant, réservez.

2 Faites revenir l'ail et le piment dans le wok. Quand ils embaument, ajoutez le potiron et poursuivez la cuisson 5 minutes avant d'incorporer les pois gourmands, le sucre, le bouillon et la sauce de soja. Laissez mijoter à feu doux pour faire épaissir la sauce.

3 Retirez le wok du feu et incorporez le basilic, l'oignon vert et les cacahuètes. Mélangez bien, parsemez le potiron d'oignon frit et servez sans attendre.

Par portion lipides 20,7 g ; 343 kcal

Curry vert de légumes

Pour 4 personnes

PRÉPARATION 20 MINUTES
CUISSON 20 MINUTES

**100 g de haricots verts
coupés en deux
1 c. s. d'huile d'arachide
1 oignon jaune moyen émincé
3 feuilles de citronnier kaffir
coupées en morceaux
2 c. s. de pâte de curry verte
1 carotte moyenne
coupée en tranches fines
2 petites aubergines
coupées en petits morceaux
810 ml de lait de coco allégé
350 g de potiron
coupé en petits morceaux
4 petits pâtissons jaunes
coupés en quatre
100 g de champignons de Paris
finement émincés
250 g de brocolini
grossièrement haché
1 petit poivron rouge émincé
230 g de pousses de bambou
en boîte égouttées**

1 Faites chauffer l'huile dans une sauteuse et faites-y revenir l'oignon et les feuilles de kaffir. Incorporez la pâte de curry verte en remuant vivement jusqu'à ce qu'elle embaume. Ajoutez alors la carotte et les aubergines et laissez cuire quelques minutes sans couvrir.

2 Quand les aubergines sont juste tendres, versez le lait de coco et portez à ébullition. Réduisez le feu avant d'ajouter le potiron et les pâtissons. Poursuivez la cuisson à feu doux, attendez que les morceaux de pâtisson soient presque tendres pour ajouter les champignons, les brocolinis, le poivron et les pousses de bambou. Laissez mijoter encore 5 minutes en remuant, jusqu'à ce que tous les légumes soient cuits. Servez sans attendre.

Pratique Les pâtes de curry toutes prêtes peuvent être parfois très fortes ; goûtez-les et ajustez la quantité en conséquence. Plus doux et plus sucré que le brocoli, le brocolini a une saveur subtile et légèrement poivrée. Ce légume est entièrement comestible, de la fleur à la tige. C'est un croisement entre le brocoli et le brocoli chinois.

Garniture Servez ce curry accompagné d'un riz jasmin cuit à la vapeur.

Par portion lipides 21,3 g ; 309 kcal

Beignets de courgettes et maïs à la salsa d'avocat

Pour 4 personnes

PRÉPARATION 10 MINUTES
CUISSON 10 MINUTES

50 g de beurre fondu
125 ml de lait
110 g de farine
2 œufs légèrement battus
210 g de crème de maïs
en boîte (épiceries fines)
2 courgettes moyennes
grossièrement râpées
de l'huile végétale
pour la friture

Salsa d'avocat

3 tomates olivettes
coupées en petits morceaux
2 avocats moyens
coupés en petits morceaux
1 petit oignon rouge haché
2 c. s. de jus de citron vert
2 c. s. de coriandre fraîche
ciselée

1 Dans un saladier, battez ensemble le beurre, le lait, la farine et les œufs pour obtenir une pâte lisse. Ajoutez la crème de maïs et la courgette râpée ; mélangez bien.

2 Faites chauffer une grande quantité d'huile dans une sauteuse. Formez des beignets de la valeur d'une cuillerée à soupe et plongez-les dans la friture, 2 minutes de chaque côté, pour qu'ils soient dorés de toutes parts. Égouttez les beignets sur du papier absorbant et servez-les avec la salsa.

Salsa d'avocat Mélangez la tomate, l'avocat, l'oignon, le jus de citron vert et la coriandre dans un saladier.

Pratique Réservez les beignets au chaud jusqu'au moment de servir. Pour que ce plat soit plus léger, faites cuire les beignets dans une poêle anti-adhésive légèrement huilée (comme des blinis ou des pancakes) au lieu de les plonger dans la friture.

Par portion lipides 57,6 g ; 699 kcal

Dip aux épinards et à la ricotta

Faites cuire des épinards, égouttez-les bien et hachez-les finement. Mixez-les avec de l'oignon vert, de l'ail pilé, de la ricotta et de la feta. Ajoutez du jus de citron et un peu d'huile d'olive pour que le mélange soit onctueux. Servez avec du pain de campagne.

Salade au jambon cru à la roquette

Disposez quelques tranches extra-fines de jambon cru sur une assiette. Mélangez quelques feuilles de roquette, du parmesan en copeaux, un peu d'huile d'olive et du jus de citron dans un saladier. Servez cette salade à côté des tranches de jambon cru.

Frittata d'épinards et patates douces

Coupez quelques pommes de terre et quelques patates douces en morceaux et faites-les cuire séparément à l'eau ou à la vapeur. Mélangez-les ensuite avec des épinards émincés, du cheddar râpé et des œufs battus. Versez cet appareil dans un moule à charnière rond légèrement graissé et chemisé de papier sulfurisé. Faites cuire au four à 220 °C. Laissez reposer 5 minutes avant de servir.

Brochettes de légumes

Enfilez sur des piques en bois des morceaux de poivron vert et d'aubergine, des tomates cerises, des champignons de Paris coupés en deux, des morceaux de courgette et de pâtisson. Faites cuire ces brochettes sur un gril en fonte légèrement huilé ou au barbecue. Arrosez-les régulièrement d'une sauce à l'huile d'olive et au vinaigre balsamique pendant la cuisson.

Salade d'asperges aux tomates

Mélangez dans un saladier des asperges vertes cuites, des tomates cerises et des tomates poires coupées en deux, quelques feuilles de roquette, un avocat émincé et du basilic. Assaisonnez d'un mélange d'huile d'olive, de vinaigre, de basilic et d'ail pilé.

Bruschette à l'haloumi

Découpez une baguette en tranches (taillez-les en biseau). Badigeonnez-les d'huile d'olive et faites-les griller au four. Couvrez d'aubergine grillée, de tranches de tomate et d'haloumi grillé. Parsemez de persil ciselé et versez un filet d'huile d'olive.

Gnocchis au potiron

Découpez un petit potiron en cubes et faites rôtir ces derniers 15 minutes au four à 180 °C. Plongez les gnocchis dans un grand volume d'eau bouillante salée ; retirez-les avec une écumoire dès qu'ils remontent à la surface, égouttez-les dans une passoire avant de les transférer dans un plat de service avec le potiron. Faites fondre un peu de beurre et d'huile dans une casserole pour y faire revenir une gousse d'ail pilée. Dès que le mélange se colore, versez-le sur les gnocchis.

Crevettes et feta à la sauce tomate

Dans une grande poêle, faites revenir dans l'huile un peu d'oignon haché et une petite gousse d'ail pilée. Ajoutez du vin blanc sec et des tomates concassées en boîte (avec leur jus). Portez à ébullition puis laissez frémir jusqu'à épaississement. Décortiquez de grosses crevettes en gardant la queue puis ajoutez-les à la sauce avec un peu de persil ciselé et d'origan. Laissez mijoter à découvert. Décorez de feta émiettée avant de servir.

En accompagnement

Pour compléter un repas, accompagner viandes ou poissons,
voici quelques bonnes idées pour accommoder très rapidement
des légumes, en salade ou chauds, en gratin ou juste pochés.
Vous trouverez dans les pages qui suivent des idées originales
ou des recettes plus classiques, à préparer
en même temps que le plat principal.

Salade d'asperges et de pamplemousse rose

Pour 4 personnes

PRÉPARATION 20 MINUTES

200 g de jeunes asperges vertes
1 petite romaine
1 petite trévise
1 avocat moyen coupé en tranches fines
2 pamplemousses roses pelés et détaillés en quartiers

Sauce au miel et à l'estragon
2 c. s. d'huile d'olive
2 c. s. de vinaigre à l'estragon
2 c. c. de miel

1 Coupez les asperges en deux puis découpez les pointes en deux et les tiges en quatre, dans la longueur.

2 Répartissez les feuilles de romaine et de trévise, l'avocat, le pample-mousse et les asperges entre quatre assiettes. Arrosez de sauce au miel et à l'estragon.

Sauce au miel et à l'estragon Mélangez l'huile, le vinaigre et le miel dans un bocal muni d'un couvercle, fermez-le et secouez vigoureusement.

Pratique Les asperges sont ici consommées crues : choisissez-les jeunes, fraîches et croquantes.

Par portion lipides 19,6 g ; 246 kcal

Salade de pommes de terre

Pour 8 personnes

PRÉPARATION 15 MINUTES
CUISSON 15 MINUTES

**2 kg de petites pommes
de terre nouvelles
coupées en deux
1 poignée de menthe fraîche
ciselée
1 poignée de persil plat ciselé
80 ml de vinaigre de vin rouge
60 ml d'huile d'olive
2 c. s. de sucre roux**

1 Faites cuire les pommes de terre à l'eau ou à la vapeur. Égouttez-les et réservez-les au chaud.

2 Mélangez la menthe, le persil, le vinaigre, l'huile et le sucre dans un saladier. Ajoutez les pommes de terre et remuez. Comme elles sont encore chaudes, elles vont absorber toute la sauce et s'en imprégner. Servez tiède ou froid.

Pratique Préparez la sauce la veille, pour que les saveurs se mélangent, et réservez-la à couvert au réfrigérateur.

Par portion lipides 7,4 g ; 239 kcal

Lentilles à l'indienne

Pour 4 personnes

PRÉPARATION 5 MINUTES
CUISSON 15 MINUTES

300 g de lentilles corail
50 g de beurre
1 petit oignon jaune émincé
1 gousse d'ail pilée
1/2 c. c. de coriandre moulue
1/2 c. c. de cumin moulu
1/4 de c. c. de curcuma moulu
1/4 de c. c. de poivre
de Cayenne
125 ml de bouillon de volaille
2 c. s. de persil plat frais
grossièrement ciselé

1 Faites cuire les lentilles à découvert dans une grande casserole d'eau bouillante puis égouttez-les.

2 Faites fondre la moitié du beurre dans une sauteuse pour y faire revenir l'oignon, l'ail, la coriandre, le cumin, le curcuma et le poivre.

3 Quand l'oignon a fondu, ajoutez les lentilles, le bouillon et le reste du beurre. Maintenez sur le feu pour que le mélange soit bien chaud. Incorporez le persil juste avant de servir.

Par portion lipides 12,1 g ; 298 kcal

Pommes de terre nouvelles aux graines de moutarde

Pour 4 personnes

PRÉPARATION 5 MINUTES • CUISSON 25 MINUTES

**1 kg de petites pommes de terre nouvelles
ou de rattes du Touquet
2 c. s. d'huile d'olive
1 c. s. de graines de moutarde noire
2 c. c. de sel de Guérande
1 c. c. de poivre noir du moulin
1 c. s. de persil plat frais grossièrement ciselé**

1   Faites cuire les pommes de terre à l'eau ou à la vapeur (en gardant la peau) puis égouttez-les. Veillez à ce qu'elles restent un peu fermes.

2   Faites chauffer l'huile dans une poêle et faites-y revenir les pommes de terre (gardez la peau pour les pommes de terre nouvelles). Quand elles sont dorées, ajoutez les graines de moutarde et poursuivez la cuisson 1 minute, en remuant, jusqu'à ce qu'elles éclatent.

3   Ajoutez le sel de Guérande, le poivre et le persil. Mélangez ; c'est prêt.

Par portion lipides 9,5 g ; 247 kcal

Salade de chou et roquette

Pour 8 personnes

PRÉPARATION 20 MINUTES

1 petit chou de Milan émincé
1 poivron jaune moyen émincé
160 g de roquette
4 oignons verts émincés
80 ml de jus de citron vert
60 ml d'huile d'arachide
2 c. c. de sucre en poudre
1 c. s. de moutarde à l'ancienne

Mélangez le chou, le poivron, la roquette et les oignons dans un saladier. Mélangez dans un bol le jus de citron vert, l'huile d'arachide, le sucre et la moutarde. Versez la sauce sur la salade, remuez et servez aussitôt.

Pratique Cette salade sera encore plus colorée si vous mélangez chou rouge et chou blanc. Versez la sauce juste avant de servir.

Par portion lipides 7,3 g ; 90 kcal

Carottes nouvelles glacées au gingembre

Pour 4 personnes

PRÉPARATION 10 MINUTES
CUISSON 5 MINUTES

**800 g de carottes nouvelles
juste grattées
20 g de beurre
5 g de gingembre frais râpé
2 c. c. de sucre roux
60 ml de jus d'orange frais
1 c. s. de petites feuilles
de cerfeuil frais ciselé**

1 Faites cuire les carottes à l'eau ou à la vapeur puis égouttez-les. Elles doivent rester légèrement croquantes.

2 Faites fondre le beurre dans une poêle avant d'ajouter le gingembre, le sucre et le jus d'orange. Laissez revenir 1 minute sans couvrir.

3 Mettez les carottes dans la poêle et mélangez délicatement à feu doux pour les réchauffer. Servez-les parsemées de cerfeuil ciselé.

Par portion lipides 4,3 g ; 93 kcal

Poêlée de légumes aux épices

Pour 4 personnes

PRÉPARATION 20 MINUTES • CUISSON 10 MINUTES

1 c. s. d'huile d'arachide
2 gousses d'ail pilées
1 c. c. de curcuma moulu
1 c. c. de racine de coriandre hachée
4 oignons verts émincés
500 g de fleurettes de chou-fleur
60 ml d'eau
200 g de haricots verts coupés en deux
200 g de choy sum grossièrement haché
1 c. s. de jus de citron vert
1 c. s. de sauce de soja
1 c. s. de coriandre fraîche grossièrement ciselée

1   Faites chauffer l'huile dans un wok et faites-y revenir l'ail, le curcuma, la racine de coriandre et les oignons verts. Quand les oignons ont fondu, réservez ces ingrédients au chaud.

2   Versez l'eau dans le wok pour y faire cuire le chou-fleur. Quand il est encore croquant, ajoutez les haricots et le choy sum ; poursuivez la cuisson jusqu'à ce que les légumes soient tendres.

3   Incorporez le jus de citron vert, la sauce de soja, la coriandre et le mélange aux oignons. Laissez sur le feu jusqu'à ce que les légumes soient bien chauds.

Par portion lipides 5,4 g ; 92 kcal

Salade de tomates grillées

Pour 4 personnes

PRÉPARATION 20 MINUTES
CUISSON 5 MINUTES

**500 g de tomates poires
coupées en deux
500 g de tomates cerises
coupées en deux
2 c. s. d'huile d'olive
quelques feuilles de persil plat
ciselées
2 piments oiseaux épépinés
et émincés (facultatif)
2 c. s. de vinaigre balsamique
80 ml d'huile d'olive
pour la sauce**

1 Préchauffez le four à 220 °C.

2 Mélangez toutes les tomates, l'huile, le persil et les piments dans un plat à gratin, enfournez et laissez cuire 5 minutes à découvert jusqu'à ce que les tomates soient légèrement ramollies.

3 Servez les tomates, chaudes ou froides, arrosées d'un mélange de vinaigre balsamique et d'huile d'olive.

Par portion lipides 27,5 g ; 275 kcal

Légumes asiatiques à la sauce d'huîtres

Pour 8 personnes

PRÉPARATION 10 MINUTES
CUISSON 10 MINUTES

2 c. s. d'huile d'arachide
4 gousses d'ail pilées
500 g de champignons de Paris
coupés en tranches fines
1 c. s. de graines de sésame
400 g de mini-bok choy
coupé en quatre
600 g de choy sum
grossièrement haché
4 oignons verts
grossièrement hachés
2 c. s. de sauce de soja claire
80 ml de sauce d'huîtres
1 c. c. d'huile de sésame

1 Faites chauffer la moitié de l'huile d'arachide dans un wok ou une poêle pour y faire revenir l'ail, les champignons et les graines de sésame. Quand les champignons sont juste tendres, réservez les ingrédients au chaud entre deux assiettes.

2 Versez le reste d'huile d'arachide dans le wok et faites-y sauter à feu vif le bok choy et le choy sum. Quand les feuilles commencent à flétrir, remettez les champignons dans le wok puis ajoutez les oignons, la sauce de soja, la sauce d'huîtres et l'huile de sésame. Maintenez sur le feu jusqu'à ce que le mélange soit bien chaud.

Par portion lipides 6,5 g ; 95 kcal

Garniture Servez ces légumes accompagnés d'un bol de sambal oelek (une purée de piment très relevée).

Taboulé

Pour 4 personnes

PRÉPARATION 15 MINUTES

80 g de boulgour (grains de blé concassés)
2 bouquets de persil plat grossièrement ciselé
3 tomates moyennes découpées en tout petits dés
1 petit oignon rouge finement haché
1 bouquet de menthe grossièrement ciselé
125 ml de jus de citron
60 ml d'huile d'olive

1 Couvrez le boulgour d'eau et laissez-le tremper 10 minutes. Égouttez-le dans une passoire en pressant bien pour éliminer le plus de liquide possible.

2 Mélangez le persil, les dés de tomate, l'oignon et la menthe dans un saladier. Ajouter le boulgour.

3 Arrosez de jus de citron et d'huile d'olive. Remuez et réservez au frais jusqu'au moment de servir.

Pratique Préparez cette recette au moins 3 heures à l'avance pour que le taboulé soit très frais.

Par portion lipides 14,4 g ; 219 kcal

Salade composée

Pour 4 personnes

PRÉPARATION 20 MINUTES

**850 g de mini-betteraves
en boîte rincées, égouttées
et coupées en quartiers
80 g de germes de soja
1 carotte moyenne
coupée en tranches fines
1 branche de céleri émincée
1 petit oignon rouge émincé
quelques feuilles de menthe
fraîche
1 c. s. de zeste de citron vert
râpé
60 ml de jus de citron vert
2 c. s. d'huile d'olive**

1 Mélangez dans un saladier les betteraves, les germes de soja, la carotte, le céleri, l'oignon et la menthe.

2 Mettez dans un bocal le zeste et le jus de citron ainsi que l'huile d'olive. Fermez le couvercle et agitez vigoureusement le bocal.

3 Arrosez la salade de cette sauce, remuez et servez sans attendre.

Par portion lipides 9,4 g ; 169 kcal

Salade de légumes grillés au vinaigre balsamique

Pour 4 personnes

PRÉPARATION 10 MINUTES
CUISSON 25 MINUTES

60 ml d'huile d'olive
1 gousse d'ail pilée
2 grosses courgettes
4 rosés des prés moyens
coupés en quartiers
4 grosses tomates olivettes
coupées en quartiers
1 oignon rouge moyen
coupé en quartiers
150 g de mâche
quelques feuilles de basilic
grossièrement ciselées

Assaisonnement
60 ml d'huile d'olive
2 c. s. de vinaigre balsamique
1/2 c. c. de sucre en poudre
1/2 c. c. de moutarde de Dijon
1 gousse d'ail pilée

1 Préchauffez le four à 220 °C.

2 Mélangez l'huile et l'ail dans un bol. Coupez les courgettes en deux dans la longueur puis détaillez-les en tranches fines.

3 Étalez tous les légumes sur une plaque de cuisson légèrement huilée, badigeonnez-les du mélange d'huile d'olive et d'ail et faites-les rôtir 20 minutes au four. Sortez-les dès qu'ils commencent à dorer et laissez-les refroidir.

4 Mettez les légumes froids dans un saladier avec la mâche et le basilic. Versez la sauce dessus et mélangez.

Assaisonnement Mélangez tous les ingrédients dans un bocal, fermez le couvercle et secouez énergiquement.

Par portion lipides 28,2 g ; 316 kcal

Salade de haricots blancs

Pour 4 personnes

PRÉPARATION 15 MINUTES

800 g de haricots blancs en boîte rincés et égouttés
150 g de pousses d'épinards
1 petit oignon rouge émincé
1 gousse d'ail pilée
1 c. s. de coriandre fraîche grossièrement ciselée
1 c. s. de menthe fraîche ciselée
1 c. s. de citronnelle fraîche émincée très finement
5 g de gingembre finement râpé
2 c. s. d'huile de sésame
2 c. s. de sauce de soja
2 c. s. de sauce au piment douce
2 c. s. de jus de citron vert
1 c. c. de miel
2 piments oiseaux épépinés et émincés

1 Dans un saladier, mélangez les haricots blancs, les épinards et l'oignon.

2 Mettez dans un bocal l'ail, la coriandre, la menthe, la citronnelle, le gingembre, l'huile de sésame, la sauce de soja, la sauce au piment, le jus de citron vert et le miel. Fermez le bocal et agitez-le vigoureusement.

3 Au moment de servir, arrosez la salade de cette sauce, mélangez délicatement et parsemez de piment émincé.

Par portion lipides 9,8 g ; 133 kcal

Purée aux épinards

Pour 4 personnes

PRÉPARATION 15 MINUTES
CUISSON 15 MINUTES

**1 kg de pommes de terre
pelées et coupées en morceaux
20 g de beurre
1 gousse d'ail pilée
125 g de pousses d'épinards
300 ml de crème fraîche chaude**

1 Faites cuire les pommes de terre à l'eau ou à la vapeur puis égouttez-les.

2 Dans une grande poêle, faites revenir l'ail et les épinards dans le beurre fondu. Quand l'ail embaume, transférez le mélange dans le bol du robot, ajoutez la moitié de la crème et mixez.

3 Écrasez les pommes de terre en purée avant d'y incorporer le mélange aux épinards et le reste de crème.

Par portion lipides 37,2 g ; 484 kcal

Salade marocaine
aux oranges et aux carottes

Pour 4 personnes

PRÉPARATION 15 MINUTES

**500 g de petites carottes pelées
2 petites oranges,
pelées et détaillées en quartiers
1/2 petit oignon rouge émincé
quelques feuilles de coriandre
1 c. s. d'eau de fleurs d'oranger
2 c. s. de sucre en poudre
2 c. s. de jus de citron**

Détaillez les carottes en fins rubans dans la longueur (utilisez un épluche-légumes). Mélangez-les avec les quartiers d'orange, l'oignon, la coriandre, l'eau de fleurs d'oranger, le sucre et le jus de citron. Servez très frais.

Par portion lipides 0,1 g ; 75 kcal

Brocolis chinois au sésame

Pour 4 personnes

PRÉPARATION 10 MINUTES • CUISSON 10 MINUTES

1 kg de brocolis chinois grossièrement hachés
1 c. s. d'huile d'arachide
5 oignons verts grossièrement hachés
2 gousses d'ail pilées
10 g de gingembre frais râpé
2 c. s. de sauce de soja
1 c. s. de sauce d'huîtres
1 c. s. de nuoc-mâm
60 ml de kecap manis (sauce de soja sucrée)
2 c. s. de graines de sésame

1   Faites cuire les brocolis à l'eau ou à la vapeur puis égouttez-les. Veillez à ne pas les faire trop cuire pour qu'ils restent légèrement croquants.

2   Faites chauffer l'huile dans un wok et faites-y revenir l'oignon, l'ail et le gingembre jusqu'à ce qu'ils embaument. Ajoutez les brocolis, la sauce de soja, la sauce d'huîtres et le nuoc-mâm. Maintenez sur le feu jusqu'à ce que les brocolis soient bien chauds. Juste avant de servir, arrosez-les de kecap manis et parsemez-les de graines de sésame.

Par portion lipides 8,1 g ; 140 kcal

Couscous au potiron et aux épices

Pour 4 personnes

PRÉPARATION 10 MINUTES
CUISSON 20 MINUTES

1 c. s. d'huile d'olive
2 gousses d'ail pilées
1 gros oignon rouge émincé
500 g de potiron
découpé en gros dés
3 c. c. de cumin moulu
2 c. c. de coriandre moulue
200 g de semoule
250 ml d'eau bouillante
20 g de beurre
2 c. s. de persil plat
grossièrement ciselé

1 Préchauffez le four à 220 °C.

2 Faites chauffer l'huile dans une poêle pour y faire revenir l'ail, l'oignon et le potiron en remuant de temps en temps. Quand ils sont légèrement dorés, ajoutez le cumin et la coriandre ; poursuivez la cuisson 2 minutes, jusqu'à ce qu'ils embaument.

3 Étalez ce mélange dans un plat à gratin légèrement huilé et laissez-le cuire 15 minutes au four sans couvrir, jusqu'à ce que les morceaux de potiron soient bien moelleux.

4 Dans un grand saladier résistant à la chaleur, mélangez la semoule, l'eau bouillante et le beurre. Couvrez et laissez gonfler la semoule 5 minutes. Quand tout le liquide est absorbé, aérez la graine à la fourchette puis ajoutez le potiron et le persil ; remuez. Servez sans attendre.

Par portion lipides 9,8 g ; 325 kcal

Pois gourmands aux graines de sésame et aux pignons de pin

Pour 4 personnes

PRÉPARATION 10 MINUTES
CUISSON 10 MINUTES

1 c. s. d'huile de sésame
600 g de pois gourmands
2 oignons verts émincés
2 c. s. de pignons grillés
1 c. s. de graines de sésame grillées

1 Faites chauffer l'huile dans un wok ou une grande poêle et faites-y revenir les pois gourmands et les oignons verts pendant 5 minutes.

2 Ajoutez les pignons de pin et les graines de sésame. Laissez cuire à feu vif quelques secondes : les graines doivent dorer légèrement. Servez aussitôt.

Par portion lipides 11,5 g ; 157 kcal

Salade de fenouil au parmesan

Pour 6 personnes

PRÉPARATION 15 MINUTES

6 petits bulbes de fenouil
100 g de parmesan
quelques tiges de fenouil ciselées pour décorer

Vinaigrette au citron
60 ml d'huile d'olive
2 c. s. de jus de citron
2 c. c. de feuilles de fenouil ciselées
1 gousse d'ail pilée
1 c. c. de moutarde de Dijon
1 c. c. de sucre en poudre

1 Émincez le fenouil avec une mandoline, une râpe à légumes ou un gros couteau de cuisine. Détaillez le parmesan en copeaux avec une râpe à fromage ou un économe.

2 Juste avant de servir, mélangez le fenouil et le parmesan dans un saladier. Garnissez de tiges de fenouil ciselées et arrosez de vinaigrette au citron. Remuez délicatement.

Vinaigrette au citron Mélangez tous les ingrédients dans un bocal, fermez le couvercle et agitez énergiquement.

Pratique Préparez la vinaigrette la veille : elle sera ainsi plus parfumée.

Par portion lipides 14,6 g ; 176 kcal

Polenta au parmesan et au basilic

Pour 4 personnes

PRÉPARATION 10 MINUTES
CUISSON 25 MINUTES

580 ml d'eau
580 ml de lait
170 g de polenta
40 g de parmesan râpé
30 g de beurre en petits dés

Pesto
2 c. s. de parmesan râpé
2 c. s. de pignons de pin grillés
2 c. s. d'huile d'olive
1 gousse d'ail pilée
1 bouquet de basilic
grossièrement ciselé

1 Versez l'eau et le lait dans une casserole et portez à ébullition. Incorporez progressivement la polenta puis laissez-la cuire à feu moyen en remuant sans cesse, jusqu'à épaississement.

2 Réduisez le feu et poursuivez la cuisson 20 minutes à découvert, en remuant de temps en temps. Incorporez enfin le parmesan, le beurre et le pesto.

Pesto Mixez le parmesan, les pignons de pin, l'huile d'olive, l'ail et le basilic jusqu'à obtention d'une sauce homogène.

Par portion lipides 31,3 g ; 483 kcal

Courgettes à l'espagnole

Pour 8 personnes

PRÉPARATION 10 MINUTES
CUISSON 10 MINUTES

**170 g de chorizo frais
ou demi-sec
4 courgettes moyennes
émincées**

1 Enlevez la peau du chorizo et hachez grossièrement la chair avant de la faire revenir à feu vif dans une grande poêle préchauffée, jusqu'à ce qu'elle soit bien dorée. Écrasez-la avec le dos d'une cuillère en bois pour qu'elle se défasse puis faites-la égoutter sur du papier absorbant.

2 Faites revenir les courgettes dans la graisse du chorizo. Quand elles sont dorées, remettez le chorizo dans la poêle, mélangez et poursuivez la cuisson quelques minutes. Servez aussitôt.

Par portion lipides 7,7 g ; 92 kcal

Les desserts

Voici quelques idées pour terminer un repas en beauté.
Fruits frais ou en compote, tartes extra-fines,
douceur aérienne des meringues :
autant de recettes gourmandes qui mettent
l'eau à la bouche et se préparent
en un tournemain.

Pavlovas à la compote de fruits rouges

Pour 6 personnes

PRÉPARATION 15 MINUTES • CUISSON 25 MINUTES

3 blancs d'œufs
320 g de sucre glace
125 ml d'eau bouillante
300 ml de crème fouettée

Compote de fruits rouges
125 ml de jus de framboise
1 c. s. de jus de citron vert
55 g de sucre en poudre
1 c. s. de Maïzena
1 c. s. d'eau
500 g de fruits rouges variés congelés

1 Placez la grille du four au niveau le plus bas. Préchauffez le four à 180 °C et tapissez une tôle à pâtisserie de papier sulfurisé.

2 Dans un petit saladier, montez les blancs d'œufs en neige ferme avec le sucre glace et l'eau en les travaillant environ 8 minutes au batteur électrique.

3 Avec une grande cuillère, déposez 6 disques de blanc d'œuf monté en neige sur la tôle chemisée. Glissez celle-ci au four sur la grille et laissez cuire 25 minutes. La meringue doit être légèrement dorée et ferme au toucher.

4 Servez les pavlovas sans attendre, nappées de compote de fruits rouges et de crème fouettée.

Compote de fruits rouges Mélangez le jus de framboise, le jus de citron et le sucre dans une casserole et laissez chauffer sans porter à ébullition, jusqu'à dissolution du sucre. Ajoutez la Maïzena diluée dans l'eau et poursuivez la cuisson à petits bouillons. Quand le mélange commence à épaissir, ajoutez les fruits rouges et laissez sur le feu jusqu'à ce qu'ils soient chauds.

Pratique Pour gagner du temps, faites cuire la compote la veille ; vous pourrez la servir froide ou juste tiède. En revanche, les pavlovas se préparent au dernier moment pour éviter que la meringue ne retombe.

Par portion lipides 9,8 g ; 373 kcal

Crumble aux poires et aux prunes

Pour 4 personnes

PRÉPARATION 10 MINUTES
CUISSON 15 MINUTES

**825 g de prunes au sirop
égouttées, coupées en deux
et dénoyautées
825 g de demi-poires au naturel
égouttées et coupées en deux
1 c. c. de cardamome moulue
125 g d'amaretti (macarons
aux amandes) écrasés
50 g de farine
40 g d'amandes moulues
70 g d'amandes effilées
100 g de beurre doux
en petits dés**

1 Préchauffez le four à 180 °C. Graissez un plat à gratin de 6 cm de haut.

2 Mélangez les prunes, les poires et la cardamome dans le moule.

3 Dans un saladier, mélangez les amaretti, la farine et toutes les amandes. En travaillant à la main, incorporez le beurre pour obtenir une semoule grossière. Étalez-la sur les fruits, sans tasser.

4 Faites cuire le crumble 15 minutes au four. Sortez-le quand le dessus est bien doré. Servez chaud ou tiède, avec de la crème fouettée.

Pratique Vous pouvez préparer le crumble dans des ramequins individuels ; le temps de cuisson reste le même.

Par portion lipides 39,8 g ; 681 kcal

Salade d'orange à la cannelle

Pour 12 pièces

PRÉPARATION 10 MINUTES
CUISSON 10 MINUTES

165 g de sucre en poudre
60 ml de rhum
125 ml d'eau
1 zeste d'orange
1 bâton de cannelle
2 clous de girofle
2 gousses de cardamome froissées
4 grosses oranges pelées à vif et coupées en tranches épaisses

1 Mélangez le sucre, le rhum et l'eau dans une casserole ; laissez chauffer à feu moyen sans faire bouillir, jusqu'à dissolution du sucre. Ajoutez le zeste d'orange, la cannelle, les clous de girofle et la cardamome. Portez à ébullition puis laissez frémir 5 minutes à découvert. Le mélange doit épaissir légèrement.

2 Retirez la casserole du feu puis ajoutez-y les tranches d'orange. Laissez-les reposer 5 minutes dans le sirop.

3 Répartissez les tranches d'orange entre quatre assiettes à dessert et nappez-les de sirop tiède. Accompagnez d'une boule de glace à la vanille (facultatif).

Par portion lipides 0,2 g ; 269 kcal

Tartelettes aux pommes caramélisées

Pour 4 personnes

PRÉPARATION 10 MINUTES • CUISSON 20 MINUTES

4 petites pommes
50 g de beurre doux
55 g de sucre roux
1/2 c. c. de cannelle moulue
50 g de noix de pécan
75 g de compote de pomme
2 c. c. de jus de citron
1 rouleau de pâte feuilletée
1 œuf légèrement battu

1 Épluchez les pommes, ôtez le cœur et coupez-les en tranches fines. Dans une casserole, faites chauffer le beurre, le sucre et la cannelle à feu doux jusqu'à dissolution du sucre. Ajoutez les tranches de pomme et poursuivez la cuisson, toujours à feu doux, en remuant de temps en temps. Quand le sirop a épaissi, retirez les tranches de pomme et laissez-les égoutter dans une assiette.

2 Mélangez dans le bol du robot les noix de pécan, la compote de pomme et le jus de citron ; mixez le tout pour obtenir un mélange onctueux.

3 Préchauffez le four à 180 °C. Tapissez une plaque de cuisson de papier sulfurisé.

4 Découpez quatre fonds de 11 cm de diamètre dans le rouleau de pâte feuilletée. Déposez-les sur la plaque et badigeonnez-les d'œuf battu avec un pinceau.

5 Étalez le mélange aux noix de pécan sur les disques de pâte en laissant un bord vide, recouvrez de tranches de pomme cuites et faites cuire 15 minutes au four. Pendant ce temps, réchauffez le sirop. Nappez-en les tartelettes dès que vous les avez sorties du four. Servez sans attendre.

Par portion lipides 39,7 g ; 623 kcal

Glace d'été aux fruits rouges

Pour 4 personnes

PRÉPARATION 5 MINUTES
CUISSON 15 MINUTES

55 g de sucre en poudre
500 g de fruits rouges variés
1 c. s. de Cointreau
ou de jus d'orange
1 litre de glace à la vanille
100 g de noix de macadamia
concassées
et légèrement grillées

1 Mélangez le sucre et les fruits rouges dans une casserole ; laissez chauffer à feu doux, sans faire bouillir.

2 Quand le sucre est dissous, portez à ébullition et laissez frémir 5 minutes à découvert. Retirez la casserole du feu pour ajouter le Cointreau. Laissez tiédir.

3 Disposez 3 boules de glace de votre choix (fruits rouges et vanille, par exemple) dans quatre coupes hautes puis ajoutez le mélange aux fruits rouges. Décorez de noix de macadamia et servez sans attendre.

Pratique Pour faire dorer les noix de macadamia, utilisez une poêle anti-adhésive ou étalez-les sur une plaque de cuisson garnie de papier sulfurisé et faites-les rôtir 5 minutes environ au four (180 °C).

Par portion lipides 33 g ; 527 kcal

Fondue au chocolat blanc

Pour 4 personnes

PRÉPARATION 10 MINUTES
CUISSON 5 MINUTES

**180 g de chocolat blanc
cassé en morceaux
125 ml de crème fraîche
1 c. s. de Malibu
130 g de fraises
1 grosse banane
coupée en tranches
150 g d'ananas frais
en morceaux
8 biscuits aux amandes
16 marshmallows**

1 Mélangez le chocolat et la crème dans une petite casserole et remuez à feu doux, jusqu'à obtention d'une pâte lisse. Incorporez le Malibu puis versez le mélange dans un petit récipient que vous maintiendrez au chaud au centre de la table (par exemple au-dessus d'une bougie chauffe-plats).

2 Présentez les fruits, les biscuits aux amandes et les marshmallows dans de petits bols disposés au centre de la table. Chaque convive se servira à sa guise.

Pratique Variez les fruits selon vos goûts et ajoutez d'autres types de gâteaux et friandises.

Par portion lipides 14,9 g ; 263 kcal

Moelleux au chocolat et coulis de cerises aigres

Pour 6 personnes

PRÉPARATION 15 MINUTES • CUISSON 25 MINUTES

185 g de chocolat noir en morceaux
185 g de beurre doux
3 jaunes d'œufs
50 g de farine
4 œufs
75 g de sucre en poudre
350 g de confiture de cerises aigres

1 Préchauffez le four à 180 °C. Graissez 6 moules à muffins. Farinez-les puis tapotez-les en les retournant pour enlever l'excédent de farine.

2 Faites fondre à feu doux le chocolat et le beurre dans une casserole, jusqu'à obtention d'une pâte lisse. Transférez-la dans un saladier puis incorporez les jaunes d'œufs et la farine.

3 Dans un autre saladier, travaillez les œufs entiers et le sucre en poudre 5 minutes, au fouet électrique. Quand le mélange est clair, incorporez la préparation au chocolat puis répartissez cette pâte entre les moules. Faites cuire 10 minutes au four ; la pâte doit rester moelleuse au centre. Laissez reposer 5 minutes avant de démouler délicatement les gâteaux sur une grille de métal.

4 Faites chauffer la confiture à feu doux avant de la mixer pour la rendre lisse. Passez-la ensuite dans un tamis fin et remettez-la dans la casserole. Ajoutez un peu d'eau pour obtenir la consistance d'un coulis et portez à ébullition. Écumez et laissez reposer 5 minutes.

5 Servez les moelleux chauds, nappés de coulis de cerises aigres.

Pratique Prenez de préférence des moules évidés au centre, pour y faire tenir plus facilement le coulis de cerises.

Garniture Accompagnez ces moelleux de crème fraîche ou de crème fouettée.

Par portion lipides 40,1 g ; 587 kcal

Ananas frais à la noix de coco

Pour 4 personnes

PRÉPARATION 15 MINUTES

**1 petit ananas
80 ml de pulpe de fruits
de la Passion
2 c. s. de Malibu
10 g de copeaux
de noix de coco grillés**

1 Épluchez l'ananas et coupez-le en quatre dans la longueur. Retirez la partie dure au centre et coupez la chair en tranches fines.

2 Disposez les tranches d'ananas dans des coupes de service, nappez-les de pulpe de fruits de la Passion et de Malibu ; réservez au frais jusqu'au moment de servir. Décorez de copeaux de noix de coco au dernier moment.

Pratique Vous pouvez remplacer le Malibu par du rhum ou une liqueur à l'orange.

Par portion lipides 1,8 g ; 104 kcal

Gaufres Suzette

Pour 4 personnes

PRÉPARATION 10 MINUTES
CUISSON 10 MINUTES

125 g de beurre doux
110 g de sucre en poudre
2 c. c. de zeste d'orange râpé
1 c. s. de jus d'orange
60 ml de Cointreau
8 gaufres belges
200 ml de glace à la vanille

1 Faites fondre le beurre dans une casserole à fond épais. Ajoutez le sucre, le zeste d'orange, le jus d'orange et le Cointreau. Faites dissoudre le sucre à feu doux en remuant sans cesse puis laissez frémir 1 minute à découvert pour que la sauce épaississe.

2 Réchauffez les gaufres au four. Posez une gaufre sur chaque assiette, garnissez de glace à la vanille, couvrez avec une autre gaufre et nappez de sauce chaude. Servez sans attendre.

Par portion lipides 41,6 g ; 719 kcal

Brioches
aux poires caramélisées

Pour 4 personnes

PRÉPARATION 10 MINUTES • CUISSON 10 MINUTES

80 ml de crème fraîche épaisse
200 g de ricotta
50 g de gingembre confit haché
1 c. s. de sucre glace
6 poires
60 g de beurre doux
75 g de sucre roux
60 ml de jus d'orange
2 petites brioches

1 Dans un petit saladier, fouettez la crème au batteur électrique. Quand elle est assez ferme, incorporez la ricotta, le gingembre et le sucre glace.

2 Épluchez les poires et jetez le cœur. Découpez-les en huit morceaux. Faites fondre la moitié du beurre dans une poêle et faites-y revenir les morceaux de poire en remuant de temps en temps. Quand ils sont bien dorés, ajoutez le reste de beurre et le sucre ; poursuivez la cuisson jusqu'à ce que les morceaux de poire soient caramélisés. Arrosez de jus d'orange et maintenez sur le feu 1 minute, en remuant délicatement.

3 Découpez chaque brioche en quatre tranches égales ; faites-les griller de chaque côté. Disposez les tranches de brioche sur les assiettes. Garnissez de crème à la ricotta puis de poire caramélisée.

Par portion lipides 31,5 g ; 644 kcal

Mousse au chocolat et au rhum

Pour 4 personnes

PRÉPARATION 10 MINUTES
CUISSON 5 MINUTES

6 jaunes d'œufs
75 g de sucre en poudre
125 ml de rhum brun chaud
50 g de chocolat noir râpé

1 Travaillez les jaunes d'œufs et le sucre au batteur électrique dans un récipient à bord haut, jusqu'à ce que le mélange soit clair et mousseux.

2 Placez le récipient au-dessus d'une casserole d'eau frémissante et versez le rhum en un filet mince, sans cesser de remuer, jusqu'à obtention d'un mélange épais. Incorporez le chocolat en deux fois en fouettant délicatement ; laissez-le fondre après chaque ajout.

3 Répartissez la mousse entre quatre verres que vous mettrez au réfrigérateur jusqu'au moment de servir.

Par portion lipides 12 g ; 294 kcal

Tarte fine aux pêches

Pour 4 personnes

PRÉPARATION 15 MINUTES
CUISSON 20 MINUTES

2 pêches moyennes
6 feuilles de pâte filo
60 g de beurre fondu
3 c. c. de sucre en poudre
1 c. s. de confiture d'abricot
tiède passée au chinois

1 Préchauffez le four à 200 °C ; tapissez une tôle à pâtisserie de papier sulfurisé.

2 Coupez les pêches en deux, enlevez le noyau puis recoupez chaque moitié en tranches fines.

3 Superposez les feuilles de pâte après les avoir badigeonnées une à une de beurre fondu. Découpez ensuite la pâte pour former un grand disque de 22 cm de diamètre.

4 Disposez les tranches de pêche sur ce fond, saupoudrez de sucre et faites cuire 20 minutes au four, jusqu'à ce que la pâte soit légèrement dorée. Nappez la tarte de confiture d'abricot tiède et servez sans attendre.

Pratique Préparez rapidement les feuilles de pâte pour éviter qu'elles ne se dessèchent (gardez-les dans un torchon humide jusqu'au moment de les badigeonner de beurre). Vous pouvez varier la garniture et préparer cette tarte fine avec des nectarines, des abricots, des prunes ou des poires.

Par portion lipides 12,8 g ; 218 kcal

Pudding au chocolat

Pour 4 personnes

PRÉPARATION 15 MINUTES • CUISSON 25 MINUTES

125 ml de lait
40 g de chocolat noir cassé en morceaux
50 g de beurre doux
35 g de cacao en poudre
75 g de farine avec levure incorporée
25 g de noisettes en poudre
75 g de sucre en poudre
150 g de sucre roux
1 œuf légèrement battu
180 ml d'eau
40 g de beurre doux en petits dés
200 ml de glace à la vanille

Sauce chocolat-noisette
125 ml de crème fraîche
2 c. s. de sucre roux
50 g de chocolat noir cassé en petits morceaux
110 g de Nutella
1 c. s. de Frangelico (liqueur à la noisette)

1 Préchauffez le four à 180 °C et graissez quatre ramequins allant au four.

2 Dans une petite casserole, faites chauffer le lait, le chocolat, le beurre et la moitié du cacao à feu doux, jusqu'à obtention d'un mélange onctueux.

3 Mélangez la farine, les noisettes en poudre, le sucre en poudre et la moitié du sucre roux dans un saladier. Incorporez en deux fois le mélange au chocolat et l'œuf battu puis répartissez cette préparation entre quatre ramequins.

4 Dans une petite casserole, faites chauffer à feu doux l'eau, le beurre en morceaux, le reste de sucre roux et le reste de cacao, jusqu'à obtention d'une préparation homogène. Nappez-en les puddings.

5 Faites cuire les puddings 25 minutes au four. Laissez-les reposer 5 minutes hors du four et décorez chacun d'eux d'une boule de glace. Nappez de sauce chocolat-noisette chaude.

Sauce chocolat-noisette Mélangez la crème et le sucre dans une casserole. Portez à ébullition puis retirez du feu. Ajoutez le chocolat et remuez. Quand le mélange est lisse, incorporez le Nutella et la liqueur. Remuez à nouveau pour que la sauce soit homogène et lisse.

Pratique Ce dessert est meilleur chaud, quand le pudding n'a pas encore absorbé toute la sauce.

Par portion lipides 58,6 g ; 1 050 kcal

Salade de melon et ananas
au sirop de citron vert et au miel

Pour 4 personnes

PRÉPARATION 10 MINUTES
CUISSON 5 MINUTES

120 g de miel liquide
125 ml de jus de citron vert
**400 g d'ananas frais
en morceaux**
**400 g de melon d'Espagne
frais en morceaux**
200 g de yaourt au miel

1 Mélangez le miel et le jus de citron dans une casserole. Portez à ébullition puis laissez frémir 5 minutes à découvert.

2 Versez ce sirop sur les fruits, dans un grand saladier. Mélangez délicatement.

3 Servez les fruits nappés de yaourt au miel.

Par portion lipides 1,4 g ; 171 kcal

Soufflés aux fruits de la Passion

Pour 4 personnes

PRÉPARATION 10 MINUTES
CUISSON 15 MINUTES

1 c. s. de sucre en poudre
2 jaunes d'œufs
4 fruits de la Passion frais
réduits en purée
2 c. s. de Cointreau
80 g de sucre glace
+ 2 c. c. pour décorer
4 blancs d'œufs

1 Préchauffez le four à 180 °C. Graissez quatre ramequins allant au four. Saupoudrez-les de sucre en poudre puis retournez-les en tapotant le fond pour retirer l'excédent de sucre. Posez les ramequins sur une plaque de cuisson.

2 Dans un grand saladier, fouettez les jaunes d'œufs, la pulpe de fruits de la Passion, le Cointreau et 2 cuillerées à soupe de sucre glace.

3 Montez les blancs d'œufs en neige ferme en incorporant progressivement le reste du sucre glace. Ajoutez en deux fois le mélange aux fruits de la Passion puis répartissez ce mélange entre les ramequins.

4 Faites cuire les soufflés 12 minutes au four. Ils doivent gonfler et dorer légèrement sur le dessus. Saupoudrez-les de sucre glace et servez sans attendre.

Garniture Nappez les soufflés chauds de pulpe de fruits de la Passion et servez-les avec de la crème fraîche ou de la glace vanille.

Par portion lipides 2,5 g ; 179 kcal

Coupe glacée au coulis de fruits rouges

Pour 4 personnes

PRÉPARATION 20 MINUTES • CUISSON 10 MINUTES

75 g de sucre roux
25 g de beurre doux
125 ml de crème fraîche épaisse
150 g de fruits rouges variés congelés
500 ml de glace à la vanille
500 ml de glace à la framboise

Tuiles aux amandes
1 blanc d'œuf
2 c. s. de sucre en poudre
2 c. s. de farine
20 g de beurre fondu
2 c. s. d'amandes effilées

1 Préparez les tuiles aux amandes.

2 Mélangez le sucre, le beurre et la crème dans une casserole. Portez à ébullition. Réduisez le feu et laissez frémir 5 minutes, en remuant sans cesse, jusqu'à ce que le mélange commence à épaissir. Retirez la casserole du feu et incorporez les fruits rouges.

3 Répartissez la glace entre les coupes de service et nappez-la de coulis de fruits. Servez avec les tuiles aux amandes.

Tuiles aux amandes Préchauffez le four à 180 °C. Graissez légèrement deux tôles à pâtisserie. Montez le blanc d'œuf en neige au batteur électrique en incorporant progressivement le sucre puis la farine et le beurre fondu. Formez de petits disques de pâte sur les tôles à pâtisserie en les espaçant bien, saupoudrez-les d'amandes effilées et faites-les cuire 5 minutes au four. Laissez les tuiles refroidir sur les plaques.

Par portion lipides 37,2 g ; 585 kcal

Glossaire

Airelles Petit fruit rougeâtre à saveur très acidulée. Utilisée généralement comme condiment, l'airelle est parfois employée pour aromatiser certains desserts.

Amande

Fruit de l'amandier La graine blanche et tendre est recouverte d'une pellicule brune et enfermée dans une coque brune grêlée.
Mondée L'amande est débarrassée de sa coque et de sa pellicule brune.
En poudre Amandes séchées et grillées puis broyées en une poudre ayant la texture d'une farine grossière. Les amandes en poudre sont utilisées comme une farine dans les pâtisseries.
Effilée Coupée en fines lamelles dans la longueur. On peut les faire griller à sec (sans matière grasse dans une poêle antiadhésive) ou au four.

Aneth Plante ombellifère aux feuilles vert foncé qui ressemblent à des plumes. Ces feuilles ont un léger goût d'anis et ne doivent pas être cuites. On les ajoutera donc en fin de cuisson pour préserver leur saveur.

Aubergine Fruit d'une plante originaire de l'Inde et cultivée dans le bassin méditerranéen depuis le XVIIᵉ siècle. L'aubergine se cuit à l'étuvée ou se cuisine en gratin ou sautée. On la fera le plus souvent dégorger 30 minutes au sel pour qu'elle rende son eau de végétation.

Bacon Poitrine de porc maigre fumée.

Badiane (anis étoilé) Fruit en forme d'étoile d'un arbre de la famille des magnoliacées originaire de Chine. Son goût prononcé d'anis relève de nombreuses recettes asiatiques. On le trouve entier ou moulu. Peut également être utilisé en infusion.

Bambou (pousses de) Partie la plus tendre des jeunes plants de certaines variétés de bambou.

Betterave potagère Plante à racine charnue ronde et rouge, le plus souvent consommée cuite, en purée, en tranches, en julienne, etc. Elle est également très bonne crue.

Sauce barbecue Cette sauce à base de tomates et de différents condiments, épices et aromates s'utilise pour badigeonner les viandes blanches grillées. On peut la préparer soi-même ou l'acheter en grande surface.

Basilic Plante aromatique originaire de l'Inde et qui s'est répandue dans toute la cuisine méditerranéenne. Le basilic thaï (épiceries asiatiques) a un goût plus prononcé que le basilic commun.

Betterave potagère Plante à racine charnue ronde et rouge, le plus souvent consommée cuite, en purée, en tranches, en julienne, etc. Elle est également très bonne crue.

Beurre En pâtisserie, on utilise surtout du beurre doux (sauf mention contraire). Si une recette exige du beurre ramolli, pensez à le sortir du réfrigérateur au moins 30 minutes à l'avance.

Bicarbonate de soude
Poudre cristalline blanche d'une saveur légèrement salée. Généralement utilisé pour faire lever les pâtisseries.

Blanchir Opération consistant à faire bouillir plus ou moins longtemps les aliments dans de l'eau salée, en général pour préparer une cuisson.

Bok choy Aussi connu sous le nom de chou blanc chinois. Ce légume a un goût frais, légèrement moutardé. Excellent sauté ou braisé. Les pousses de bok choy sont plus tendres et plus délicates.

Boulgour Grains de blé décortiqués et cuits à la vapeur puis séchés et broyés plus ou moins finement. Très utilisé dans la cuisine du Moyen-Orient, pour le taboulé par exemple.

Brie Fromage au lait de vache, à pâte molle et croûte moisie, originaire de la Brie (Île-de-France).

Brocoli Variété de chou à tige épaisse et petits bouquets verts. C'est le plus digeste des choux. Se cuit de préférence à la vapeur ou dans très peu d'eau pour lui garder tout son croquant.

Brocoli chinois Cette variété de brocoli comporte de longues tiges et des feuilles vertes. Les bouquets sont plus petits que ceux du brocoli commun mais le goût est sensiblement le même.

Canneberge Airelle des marais dont les baies sont légèrement acidulées. Utilisée en pâtisserie et pour faire des sirops et des confitures. En vente séchées ou en conserve dans les grandes surfaces.

Cannelle Écorce d'un arbre originaire de Chine ou de Ceylan. Cette écorce se présente en feuilles minces roulées sur elles-mêmes (bâtons de cannelle). Saveur très fine et sucrée, très aromatique. On trouve aussi de la cannelle moulue mais on lui préférera la cannelle en bâton pour aromatiser compotes et entremets.

Câpre Bouton floral vert-de-gris d'un arbuste de climat chaud (généralement méditerranéen). On trouve des câpres séchées et salées ou conservées dans la saumure. Les plus petites, qui ont été cueillies plus tôt, sont plus savoureuses et plus chères que les grosses. Il est conseillé de bien les rincer avant de les consommer.

Cardamome Épice originaire de l'Inde et très présente dans la cuisine orientale. On la trouve en gousses, en graines ou moulue.

Chapelure Poudre élaborée avec du pain rassis réduit en miettes. On trouve de la chapelure toute prête dans le commerce.

Châtaigne d'eau Légume bulbe qui pousse dans en milieu aquatique. Elle occupe une place importante dans les cuisines asiatiques. Sa chair blanche, juteuse et sucrée, est recouverte d'une mince peau brunâtre. Vendue fraîche ou en boîte (épiceries asiatiques).

Chocolat Le chocolat est élaboré à base de pâte de cacao, de beurre de cacao et de sucre (sans oublier le lait dans le chocolat au lait…). Pour les desserts, on pourra utiliser du chocolat en tablette ou des pépites de chocolat (ces dernières

sont surtout très utilisées pour les nappages et autres couvertes fines et délicates à réaliser).

Cinq-épices Mélange parfumé de cannelle, de clous de girofle, d'anis étoilé, de poivre du Sichuan et de fenouil. Vendu en poudre.

Citron confit Spécialité d'Afrique du Nord. Les citrons sont conservés, généralement entiers, dans un mélange de jus de citron et de sel. On peut les rincer et les consommer tels quels ou les couper en quartiers pour aromatiser tajines et couscous.

Citronnelle Herbe longue au goût et à l'odeur de citron. On hache l'extrémité blanche des tiges.

Clou de girofle Bouton floral non épanoui du giroflier, séché et parfois fumé. D'une saveur aromatique chaude et piquante, le clou de girofle est utilisé pour parfumer les pâtisseries.

Coco
Crème Première pression de la pulpe mûre des noix. Disponible en boîte ou en berlingot.
Lait Il ne s'agit pas du jus contenu dans la noix mais du liquide obtenu par la deuxième pression de la pulpe. Disponible en boîte ou en berlingot.

Coing Fruit jaune ayant la forme d'une grosse poire et une peau veloutée. Ne peut être dégusté cru à cause de son goût âcre. Délicieux poché, en confiture ou en pâte de fruit.

Coriandre Aussi appelée persil arabe ou chinois, cette herbe vert vif a une saveur très relevée. On utilise aussi les racines et les graines, qui ont des goûts très différents.

Couscous Semoule de blé dur réduite en grains fins, originaire d'Afrique du Nord.

Crème fraîche Produit issu de l'écrémage du lait et constitué de lait très enrichi en matière grasse (au moins 30 %). Elle peut se conserver 1 mois à 5 °C.

La crème liquide, elle, fermente plus rapidement.

Crème fouettée Pour réussir la crème fouettée, il est recommandé de mettre la crème fraîche environ 30 minutes au congélateur. Très froide et ferme, elle montera plus facilement. On peut la fouetter telle quelle ou l'additionner de sucre glace et d'un parfum aromatique (extrait de vanille par exemple).

Cresson Herbe crucifère poussant dans des lieux humides. Ses feuilles se mangent crues (en salade) ou cuites (en potage ou en sauce). Très périssable, cette plante doit être consommée le jour de son achat.

Curcuma Racine de la famille du gingembre, séchée puis réduite en poudre d'une teinte jaune intense, très utilisée dans la cuisine asiatique. Elle possède une saveur épicée mais ne pique pas.

Farine
À levure incorporée Farine de blé tamisée avec de la levure dans la proportion de 10 g de levure pour 230 g de farine.
De blé Pour tous usages.
De maïs Utilisée généralement comme épaississant.

Fenouil Se consomme cru en salade, et braisé ou sauté en légume d'accompagnement. Les graines de fenouil ont une saveur très anisée.

Ficelle de cuisine Confectionnée dans une matière naturelle comme le coton ou le chanvre, elle n'affecte pas le goût des aliments et ne fond pas à la chaleur.

Feta Fromage de brebis ou de chèvre d'origine grecque, friable et au goût fort et salé.

Frémissement, frémir Se dit d'un liquide agité d'un léger frissonnement qui précède l'ébullition. Pour les cuissons prolongées, on gardera ce frémissement.

Fromage frais Il est issu du lait naturellement fermenté. Plus égoutté que le fromage blanc, il contient donc moins d'eau et offre un aspect de pâte épaisse.

Galanga Racine séchée d'une plante appartenant à la famille du gingembre. On l'utilise en morceaux pour aromatiser mais on ne la consomme pas (la retirer du plat au moment de servir).

Garam masala Mélange d'épices grillées originaire du nord de l'Inde et comportant traditionnellement, en proportions variables selon les recettes, du cumin, de la coriandre, de la cardamome, du poivre noir, des clous de girofle, du laurier et de la cannelle. Certaines variantes peuvent comporter jusqu'à douze épices. Généralement grillées, les épices peuvent être ajoutées aux pilafs et à certains plats de viandes.

Gélatine Cette substance protéinique incolore est issue des os ou de certaines algues. Elle permet d'épaissir ou de solidifier certaines préparations culinaires. Disponible en feuille ou en poudre, on la trouve dans la plupart des magasins d'alimentation. On peut la dissoudre dans l'eau ou dans d'autres liquides (bouillons, sirops, coulis…). Pour un effet décoratif, on la mélange avec des colorants alimentaires. Simple à utiliser, il suffit de la plonger quelques minutes dans de l'eau froide. Dans le même temps, on fait chauffer le liquide à gélifier (sans le faire bouillir) puis on mélange les deux préparations.

Genièvre Baie séchée d'un conifère, le genévrier, elle confère sa saveur caractéristique au gin.

Gingembre Racine épaisse et noueuse d'une plante tropicale. On l'utilise entière ou moulue.

Gruyère Fromage à pâte cuite originaire du Jura et de Suisse.

Harissa Sauce ou pâte marocaine à base de piment rouge, d'ail, d'huile et de graines de carvi.

Hoisin (sauce) Sauce chinoise épaisse, sucrée et épicée à base de haricots de soja fermentés et salés, d'oignons et d'ail. Utilisée en marinade ou pour badigeonner viandes et poissons grillés ou sautés. Vous pouvez également la faire entrer dans la composition de certaines sauces.

Huile
Olive Les plus parfumées sont les huiles vierges ou vierges extra. Elles proviennent du premier pressage à froid.
Arachide À base de cacahuètes moulues. La plus utilisée dans la cuisine asiatique car elle supporte de très hautes températures sans brûler.

Kaffir (citronnier) Ce fruit de la famille du citron est également appelé combava. Ses feuilles sont très utilisées dans la cuisine thaïe (en ventes dans les épiceries asiatiques). Elles sont meilleures quand elles sont fraîches et peuvent se congeler en petites quantités. Le fruit est plus difficile à trouver et très cher. Il a une peau sombre et très ridée. Son zeste est très parfumé mais il faut absolument éviter la partie blanche car elle est très amère.

Kumara Nom polynésien d'une patate douce à la chair orangée, à ne pas confondre avec l'igname.

Lait On utilisera de préférence du lait écrémé ou demi-écrémé, moins lourd et plus digeste que le lait entier.

Lait condensé sucré Le lait condensé sucré obtenu à partir d'un lait partiellement écrémé ou totalement écrémé. Le sucre est ajouté en début de processus de concentration. Crémeux, épais et d'une teinte jaunâtre, il est utilisé en confiserie pour la fabrication de caramel. Il entre aussi dans la composition de desserts, de crèmes glacées, de glaçages et de sauces. Les gourmands le dégustent nature, en petits berlingots (on le trouve aussi en conserve).

Levure chimique Agent levant. Lorsque ce mélange acide et alcalin est humidifié et chauffé, il dégage du dioxyde de carbone qui aère et allège l'appareil à la cuisson.

Maïzena Fécule de maïs utilisée comme épaississant. On la délaye dans un liquide froid avant de l'incorporer au reste de la préparation.

Mascarpone Spécialité italienne, le mascarpone est un fromage frais très riche, apparenté au fromage à la crème et à la ricotta. Il est préparé avec de la crème acidifiée et chauffée à 85 °C, ce qui provoque la précipitation du caillé, qui est ensuite séparé du lactosérum par filtrage. Le fromage est légèrement salé et habituellement fouetté. Sa teneur en matière grasse est très élevée.

Mélasse Substance épaisse et brune issue du raffinage du sucre. En cuisine, on utilise la mélasse de canne à sucre.

Moutarde Ce condiment est obtenu à partir de graines de moutarde. Il est plus ou moins fort selon les recettes. La moutarde à l'ancienne, assez douce, présente des graines entières tandis qu'elles sont broyées dans la moutarde forte.

243

Noix de coco Fruit du cocotier, la noix de coco pousse en « régimes » composés de 10 à 20 noix à différents stades de développement. Enveloppée dans une coque très épaisse, elle se compose d'une enveloppe fibreuse marron et d'une coque dure marron clair, à l'intérieur de laquelle on trouve une chair blanchâtre. La noix de coco séchée et râpée est très utilisée pour la pâtisserie, comme épaississant ou pour parfumer gâteaux, flancs, crèmes ou salades de fruits.

Noix de macadamia D'origine australienne, la noix de macadamia peut être mangée nature, salée, rôtie à sec ou dans l'huile. D'une texture ferme, elle est délicieuse caramélisée. Elle entre dans la composition de nombreux desserts.

Noix de pécan Fruit du pacanier, la noix de pécan a une coquille assez fragile. Longue de 3 à 4 centimètres, elle est de forme ovale. L'amande comporte 3 lobes séparés par une cloison ligneuse. On l'utilise nature (pour l'apéritif) ou dans des tartes, gâteaux, biscuits…

Nouilles de riz À base de farine de riz et d'eau. Il en existe de différentes largeurs, rondes ou plates. On doit les plonger dans l'eau bouillante pour les ramollir.

Nuoc-mâm Aussi appelé nam pla. Sauce à base de poisson fermenté réduit en poudre (généralement des anchois). Très odorante, elle a un goût prononcé.

Oignons
Jaune et blanc Oignons à chair piquante, remplaçables l'un par l'autre ; relèvent toutes sortes de plats.
Vert Oignon cueilli avant la formation du bulbe, dont on consomme la tige verte ; à ne pas confondre avec l'échalote.
Grelot Petit oignon blanc cueilli lorsqu'il atteint la taille d'un grelot. On le consomme cru, conservé dans le vinaigre, ou cuit dans des ragoûts ou des daubes.

Rouge Également appelé oignon espagnol. Plus doux que l'oignon blanc ou jaune, il est délicieux cru dans une salade.

Paprika Piment doux séché et moulu. Existe en version douce ou forte.

Parmesan Fromage italien sec et friable, au goût très prononcé. Fabriqué à partir de lait partiellement ou totalement écrémé puis affiné pendant un minimum de 12 mois.

Pâte feuilletée La pâte feuilletée est une succession de couches de pâte et de matière grasse (généralement du beurre) de même épaisseur. Sous l'effet de la chaleur, le feuilletage se soulève, donnant une pâte croustillante et très aérée. Elle est très utilisée en pâtisserie et s'accommode de très nombreuses garnitures. Longue et assez difficile à préparer pour les débutants, elle est vendue au rayon frais des grandes surfaces soit sous forme de rouleaux, soit en paquet à étaler. Choisissez de préférence une pâte riche en beurre, plus calorique mais tellement plus savoureuse…

Pâtisson Courge ronde et aplatie à bord festonné, jaune à vert très pâle ou beige. Cueilli jeune, sa chair est ferme et parfumée.

Panais Légume racine de forme allongée et couleur crème, de la famille des ombellifères. Sa chair est blanche est son goût plus sucré que celui de la carotte.

Pepitas Graines de potiron séchées.

Pide Pain turc à base de farine de blé et parsemé de graines de sésame, de nigelle ou de fenouil. Il se présente en longues miches plates (45 cm) ou en petits pains ronds individuels.

Pignons de pin Petites graines beiges provenant de la pomme de pin.

Piments Généralement, plus un piment est petit, plus il est fort.

Mettez des gants en caoutchouc quand vous les coupez et les épépinez, car ils peuvent brûler la peau.
Chipotles Piments jalapeños séchés et fumés ; la saveur fumée l'emporte sur la force du piment. Ces piments de 6 cm de long sont brun foncé, presque noirs. On les trouve dans les magasins spécialisés dans les épices.
Éclats Lamelles et graines entières de piments séchés. Ils sont parfaits pour la cuisson ou en condiment, saupoudrés sur des plats cuits.
Moulu À utiliser faute de piments frais, à raison de 1/2 cuillerée à café de piment moulu pour un piment frais moyen haché.
Sauce de piment douce Sauce peu épicée composée de piment rouge, de sucre, d'ail et de vinaigre.
Sauce de piment forte Variété chinoise composée de piment oiseaux, de sel et de vinaigre. À utiliser avec parcimonie.
Rouge thaï Petit piment allongé rouge vif, moyennement fort.
Cayenne Piment rouge long, extrêmement fort, généralement vendu séché et moulu (poivre de Cayenne).

Pistache Fruit du pistachier, la pistache est contenue dans une coque dure. Sa chair est verte et sa saveur très douce. Elle est utilisée nature ou salée. Délicieuse en pâtisserie. Si vous achetez des pistaches non décortiquées, vérifiez que la coque est entrouverte, signe que la graine est mûre et prête à être consommée. Pour enlever la peau des pistaches décortiquées, faites-les blanchir 2 minutes dans de l'eau bouillante puis plongez-les aussitôt dans l'eau froide. Elles se conservent dans un récipient hermétique, dans un endroit frais et sec.

Poireau Il appartient à la famille de l'oignon et ressemble à un oignon vert géant mais son goût est plus doux et plus subtil.

Pois cassés Pois jaunes ou verts séchés. Ils entrent dans la composition de soupes et de ragoûts. Cuisinés seuls avec des épices, ils constituent un plat complet très riche.

Pois chiches Aussi appelés, garbanzos, channa ou houmous, ces pois de couleur sable sont très utilisés dans la cuisine méditerranéenne.

Pois gourmands Ou pois mange-tout. Plus petits et plus tendres que les haricots mange-tout, ils se cuisent très rapidement (2 minutes), de préférence à l'eau ou à la vapeur. Saveur très délicate. Se consomme au printemps.

Poivre Outre les principales variétés décrites ici, vous trouverez dans les épiceries fines différents poivres (poivre du Penjah, poivre du Sichuan…) dont les goûts peuvent être subtilement parfumés ou au contraire puissants. Certains sont assez chers mais peuvent apporter une touche très délicate à un plat de fête.
De Cayenne À base de piments séchés puis broyés, très fort ; il peut remplacer les piments frais.
Vert Baie du poivrier cueillie verte ; généralement vendu en saumure (ou sec). Son goût frais se marie bien avec les sauces à la moutarde ou à la crème.
Noir Baie cueillie à peine mûre ; c'est le poivre le plus puissant.

Poivron Originaire d'Amérique centrale et du Sud, il existe en diverses couleurs, rouge, vert, jaune, noir violacé et orange. Retirez les graines et les membranes avant de l'utiliser.

Ricotta Le nom de ce fromage de vache à pâte molle blanche signifie « recuite ». Il est à base de petit-lait, un sous-produit d'autres fromages, auquel on ajoute du lait frais et de l'acide lactique. La ricotta est un fromage doux avec un pourcentage de matières grasses de 8,5 % et une texture légèrement granuleuse.

Riz
Arborio Riz à petits grains ronds, à forte capacité d'absorption de liquide.
Basmati Riz blanc à longs grains très parfumé. Le rincer plusieurs fois avant de l'utiliser.

Jasmin Riz aromatique à longs grains, qui peut remplacer le riz blanc.

Roquette Salade verte au goût poivré. Les jeunes feuilles ont une saveur plus douce. Elle peut être cuite ou consommée crue.

Safran Sous forme de stigmates ou moulu, il donne une belle teinte jaune aux aliments. Cette épice très parfumée est parmi les plus coûteuses.

Sauce de soja Elle est composée d'un mélange de haricots de soja, de blé et d'eau qu'on laisse fermenter. La sauce de soja est assez salée, même la sauce de soja claire. Il existe une version allégée en sel.

Semoule de blé dur Fabriquée à partir du cœur du blé, moulue plus ou moins finement, mais toujours plus fine que la farine ordinaire. Ingrédient essentiel des bonnes pâtes fraîches, des gnocchis et de nombreuses pâtisseries du Moyen-Orient et de l'Inde.

Sésame Le sésame est une plante touffue dont les fleurs donnent naissance à des capsules abritant des graines ovales, petites et plates, allant du blanc cassé au gris foncé. Elles sont très riches en acides gras saturés et en vitamines. Utilisées nature ou grillées, elles parfument de nombreuses recettes. L'huile de sésame s'utilise pour parfumer certains plats dans la cuisine asiatique.

Sucre
Brun Sucre finement granulé dans lequel subsiste de la mélasse qui lui confère sa couleur et sa saveur particulières.
Sucre glace Sucre extra-fin obtenu par le broyage de sucre cristallisé blanc raffiné ou non.

Semoule (en poudre) Sucre cristallisé broyé finement.
De palme Il est confectionné à partir de la sève de certains palmiers. De brun clair à brun très foncé, il se présente sous la forme de blocs durs, à râper. Il peut être remplacé par de la cassonade.

Tomate
Cerise Tomate petite et ronde.
Olivette ou Roma Tomate assez petite de forme ovale.
Semi-séchée Morceaux de tomates partiellement séchés et conservés dans l'huile d'olive. Elle est plus tendre et plus juteuse que la tomate séchée, mais se conserve moins longtemps.

Vanille
Gousse Longue et fine, séchée, elle contient de minuscules graines noires qui confèrent une saveur incomparable aux pâtisseries et aux desserts. Vous confectionnerez votre propre sucre vanillé en mettant une gousse dans un bocal de sucre.
Extrait Obtenu par macération de gousses dans de l'alcool ; l'essence de vanille n'est pas un bon substitut.

Vinaigre
Balsamique Provient exclusivement de la province de Modène en Italie ; fait à partir d'un vin régional de cépage trebbiano. Il doit son parfum unique, à la fois doux et mordant, à un traitement spécial et à son vieillissement en vieux fûts de chêne.
De vin rouge À base de vin rouge fermenté.
De vin blanc À base de vin blanc fermenté.

Table des recettes

Adaptation : Farrago

Mise en pages : Les PAOistes
Relecture : Philippe Rollet

Publié pour la première fois sous le titre *Greatfast Recipes*

© 2004 ACP Publishing
© Marabout 2004 pour la traduction et l'adaptation

ISBN : 2501-04298-0
NUART : 40 9252 4/02
Dépôt légal : 67155 - janvier 2006

Achevé d'imprimer en Italie par Rotolito Lombarda